P9-EER-335

比海更深

海よりもまだ深く

［日］是枝裕和

佐野晶 —— 著　　　赵仲明 —— 译

图书在版编目（CIP）数据

比海更深 /（日）是枝裕和著，（日）佐野晶著；赵仲明译.
—北京：北京联合出版公司，2018.3
ISBN 978-7-5596-0661-7

Ⅰ.①比… Ⅱ.①是… ②佐… ③赵… Ⅲ.①长篇小说－日本－现代 Ⅳ.①I313.45

中国版本图书馆 CIP 数据核字（2017）第 167271 号

海よりもまだ深く　（是枝裕和　佐野　晶著）
UMI YORIMO MADA FUKAKU

Original Japanese edition published by Gentosha, Inc., Tokyo, Japan
Simplified Chinese edition is published by arrangement with Gentosha, Inc. through Discover 21 Inc., Tokyo.

版权合同登记号 图字：01－2017－1753

比海更深
作　　者：〔日〕是枝裕和　〔日〕佐野晶
译　　者：赵仲明
责任编辑：李　红　徐　樟
特约监制：赵　菁
产品经理：沈晔英

北京联合出版公司出版
（北京市西城区德外大街 83 号楼 9 层 100088）
河北鹏润印刷有限公司印刷　新华书店经销
字数 120 千字　880 毫米 ×1230 毫米　1/32　8.25 印张
2018 年 3 月第 1 版　2018 年 3 月第 1 次印刷
ISBN 978-7-5596-0661-7
定价：42.00 元

本书若有质量问题，请与本公司图书销售中心联系调换。电话：010-82069336

カルピ

海よりもまだ深く

1

这一年台风格外频繁，一月就出人意料地来过一次，成了大新闻。台风通常从盛夏到初秋季节登陆，可是五月中旬竟然就刮到了日本。

进而，尚未出梅，台风便席卷了整个日本，和小学进入暑假几乎同时。自那时起台风接连不断，日本各地遭受了巨大灾害。

不知是否和台风的影响有关，气温也变得极不稳定。本以为酷暑还将持续几天，不料气温骤降，盖两床毛毯都让人睡不安稳。

话虽如此，毕竟酷热天气减少，一整个夏天变得非常舒坦。

九月中旬以后，台风似乎更是瞄准日本长驱直入。

“这么多台风，烦死人了！”

中岛千奈津听着电视新闻中新台风即将来临的消息自言自语。和她聊天的母亲不在厨房，去了紧靠厨房的阳台上。其实千奈津并不指望母亲搭话，只是随口吐出这么一句话。

阳台上响起拍打棉被的声音，恰似回应千奈津的自语声。

煤气上搁着家里最大的那口锅，煮物[1]的气味在空气中弥漫。

千奈津打小爱吃煮菜，尤其酷爱煮得入味的蒟蒻，她常会偷夹一块尝鲜，为此没少挨母亲训斥。

千奈津忍着煮物香味的诱惑在为母亲代笔。她坐在厨房老旧的饭桌前，按照元旦收到的贺年片上的信息，将寄件人的地址和名字用钢笔写在明信片上。

阳台传来吱吱嘎嘎的声响，千奈津的母亲蓧田淑子抱着被褥进来了，嘴上叨叨着“想起来了”。

千奈津继续写着，没有停手。

“是珍妮特，珍妮特·琳恩。”

1　日本家庭中的常见料理，在食材中加入酱油等作料焖煮，类似于中国的红烧做法。

淑子说，她脸上露出得意的神情。

千奈津愣了一下，刚才聊的什么？

她很快想起来了，还是两个小时前的话题。千奈津想让次女学花样滑冰，和母亲说起这件事。花样滑冰的学费实在贵得出奇，需要和母亲“商量”一下。聊到花样滑冰，淑子提起可尔必思[1]在电视广告上花样滑冰的外国女孩，但她想不起那个人的名字。

千奈津记得札幌冬奥会是1972年举办的，当时自己6岁。那女孩是在那次的冬奥会上走红的，千奈津已经不记得她的名字了。

不用说淑子，千奈津用的也是老式折叠手机，自然不会上网查询。

聊着的话题和往常一样开了无轨电车，先前的内容被搁到一边。想不起来的名字往往会在隔了一段时间后冒出来，比如在千奈津母女回家之后。

1　一种乳酸饮料。

不过，这天总算想起来了，所以淑子心情不错，笑容满面。

“啊，是的是的，叫琳恩。一头金发，和我一样。”千奈津首肯道，她放下笔，重重点了点头，又用手比画了一下珍妮特·琳恩的蘑菇形短发，“一屁股坐地上，还得了满分，不懂溜冰。”

准确地说，琳恩得的满分是艺术分，由于摔倒被扣除了大部分技术分，就算这样琳恩还是得了铜牌。不过，千奈津在意的是另一件事。

“那是花样滑冰，滑——”

“啊啊，滑——滑——”千奈津唱歌似的重复道，其实她压根儿没想记住这个字。

淑子“嘿咻”一声用力将被褥扔进了和厨房连在一起的起居室，一屁股坐了下来，她开始折叠收进屋里的衣物。

千奈津转身面对饭桌，从今年收到的一沓贺年片中拿起一张。

她正在写“服丧明信片[1]”。从台风第一次登陆日本的“黄金周[2]”前后起，母亲就开始念叨写“服丧明信片”的事了。千奈津说11月中旬发出去也来得及，不用着急，母亲却不停地催促。她执拗地认为若不早点儿做好那什么，别人就准备好贺年片了。“那什么”是淑子的口头禅，一直以来她说什么事都用“那什么”替代。

看着贺年片的背面，千奈津轻轻“哼”了一声。这张印着富士山的明信片正面是打印上去的新年贺词，地址和名字也都是打印的，没一个手写的字。

“柳田先生是公司同事？”

起居室里的淑子点了点头。“是在成增那边的工厂时的部长。”她说着皱了下眉头，不过她的脸色并不难看，似乎还蛮有兴致，“你爸向他借过好几次钱，每次还钱都是我向板桥的大哥

---

1 日本的习俗，家里举办丧事后，提前向亲朋好友等发送明信片告知，以免在新年收到贺年片。

2 指从4月底至5月初的长假。

开口求救……”

千奈津意识到踩到地雷了，立刻打断母亲：

“现在这样也挺好，不用再担心那些。”

千奈津说着回头向四张半榻榻米[1]的起居室张望了一眼，好像怕父亲缩着脖子偷听母亲说他的坏话。

起居室里的整理柜上有一只木盒状的小佛龛，佛龛前面放着崭新的遗像。樱花绽放的季节，淑子的丈夫真辅没有任何先兆突然离世了，74岁的年龄不算老。

遗像前供着大福饼[2],一炷线香冒着缕缕青烟。大福饼是千奈津打零工的日式点心店“新杵”的糕点。

“没个人吵架还是有点那什么吧？”

淑子的口头禅“那什么”也传染给了千奈津。

淑子片刻不停地折叠衣物。“一点儿都不。”她不屑地答道，“好不容易清净了……”

---

1 约6.5平方米。

2 豆沙馅儿的糯米团。

又要开始抱怨父亲了，千奈津想，她再次打断母亲：

“整天一个人待着的话要得老年痴呆的，去交些朋友吧。”

淑子当即回应：

“都这岁数了交什么朋友，只是增加参加葬礼的人数罢了。”

千奈津轻声笑了起来。母亲说刻薄话的本事一贯出类拔萃。看来暂时不用担心她得老年痴呆，要担心的只是忽然变得不利索的腿脚。

淑子将衣物放进衣柜后，拿起长筷戳了一下炖在煤气灶上的锅里的煮物。她在手背上滴了一滴汤汁，尝了尝，感觉还要再煮一会儿，将煤气灶的火势调弱了一点。

“蒟蒻要慢慢凉下来才能入味，和人一样。”

千奈津爱吃煮物，当然也挑战过自己动手，跟母亲学了几次，回家后还是做不出相同的味道。

母亲告诫她“仔细品味”“用笔记下来”，千奈津却置若罔闻。

不久千奈津改变了策略，自己住得离母亲家很近，想吃的话只要让母亲做就行了。也不能说千奈津的目的就是为了吃煮物，

20多年前结婚离家后就一直住在娘家附近，生孩子后也搬过几次家，选择的住址也都在骑车就能回娘家的距离内。

“明天给小实的便当装些带上。”

千奈津的长女小实上中学三年级，和千奈津一样也喜欢吃蒟蒻。次女彩珠上小学四年级，对蒟蒻完全不感冒，若把煮物装进她的便当盒一定会被抗议“快住手，灰不溜丢的，丑死了”。两个女儿基本上在学校用餐，带便当仅限于明天那种校外授课的日子。

“鸡肉放少了点儿……”淑子看着锅里。

“够了，都到了爱吃鱼不吃肉的年龄了。”

当年进入青春期，千奈津忽然变得爱吃肉了。她不再挑蒟蒻吃，而是一人独霸鸡肉，为此没少挨骂。如今千奈津已经人到中年，而且是中年的“后半期”。

“正隆还年轻着呢，不够他吃吧？”

“哪里，他已经没什么欲望了，都50岁的人了。和煮物一样，凉下来后才会入味。哈哈哈……”

淑子不置可否地听着女儿和女婿的生活琐事。她将壶里的茶水倒进杯子，瞥了一眼千奈津正往明信片上写的收件人地址，脸上露出了不悦。

“我说你啊，‘田’字变溜肩膀了。”

“我写字本来就不好看，随您呢。”

“我可没那么差劲。”

“要这么说的话，写个地址还是您那什么吧。”

“我不是说过吗，我手指动不了。”

说着，淑子轻轻动了动手指。

“不是在动吗……”

千奈津刚想埋怨，淑子提着茶壶的手故意轻轻抖动起来。茶壶盖发出咔嗒咔嗒的碰撞声。

“行了行了，您又不是漂泊者组合。”

千奈津脑子里浮现的是志村健，而淑子想到的似乎是加藤茶[1]，两人不约而同地笑了起来。

淑子拿起邮票，用舌头舔湿。邮票不止一张，她伸长舌头，一气对着五联张的邮票舔了起来。随后，她一张张地将它们撕开，贴在写好的“服丧明信片”上。

千奈津接过淑子从一旁递到手里的明信片。这是张因地址不详被退回的贺年片，是父亲用传统毛笔写的，简易毛笔无法达到如此浓淡相宜的程度，而且字体相当流畅。

“不过，我爸的字的确漂亮。”

千奈津后悔自己起了个坏头，母亲又该抱怨父亲了。不料，母亲笑了起来。

“只有这一手字是他的骄傲。别人都打印贺年片了，只有他坚持动手写。”淑子说着伸了个懒腰，露出沉思的表情，这个举动和真辅如出一辙，“他不用墨汁，自己磨墨。”淑子的笑声从鼻腔里发出来。

1　志村健、加藤茶均为活跃于 20 世纪 70 ～ 90 年代日本著名喜剧组合“漂泊者”的成员。

“是的，是的。”千奈津也学着淑子的样，伸了个懒腰。

淑子从女儿手中取过明信片，端详着上面工整的楷书。

“费时费力的，收到明信片的人谁会在乎这些。”

千奈津不想接母亲尖酸刻薄的话茬。她拿起另一张明信片，看着寄件人的地址，吃了一惊。

“啊呀，芝田先生搬家了。”

淑子家在西武线沿线的住宅小区，40 年前从练马区租住的房子搬来这里，住一套三居室的租赁房。篠田家的千奈津和小她两岁的弟弟篠田良多都在这里长大。曾经和“旭之丘”这个地名一样光鲜亮丽的小区已经老化，住在此地的居民也步入了高龄。

芝田家住在小区靠南的商品房大楼里，家里有个和良多同年级的男孩，两家有些交往。

“他说儿子在西武小区建了独栋小楼。”

淑子情绪低落地说。住在同一小区的邻居住进了儿子建的独栋小楼，多少有些羡慕吧，千奈津想。况且西武小区就在对面，和这个小区相隔一条大街，是这个小区的居民们羡慕不已的商品房小区。

“出息啦！不过，那孩子上中学时一点儿都不起眼。”

在千奈津的印象中，那男孩老是张着嘴发呆。

“应该是大器晚成型吧。”

淑子兴致索然地嘟囔。

“咱家也有一位‘大器’。”

千奈津笑道，淑子不知是笑还是叹息地吁了一声。

“是啊，个头确实大了点。”

说着，淑子孩子气地对女儿吐了吐舌头。

平时过了正午时分，西武池袋线下行线的电车里总是空荡荡的。篠田良多没有坐在座椅上，而是站在车窗边眺望着窗外。由于身材高大，他不得不弯下腰才能看到外面的风景。

冷气开得太足，车厢里有些冷。良多在目的地“清濑站”下了车。虽说已是九月下旬，暑气依然逼人，光线很刺眼。

通过自动扶梯从站台上到站厅，香喷喷的气味扑鼻而来，是从立食[1]荞麦面店飘出来的熟悉味道。良多还没吃过早饭，此刻饥肠辘辘更甚于乡愁,他径直走进了面店。店名已从“狭山面店”改成了“秩父面店”，店里的布置还是老样子。良多从钱包里掏出 400 日元放到餐吧上，说要一份大虾天妇罗面。他也想过吃碗冷面，不过此刻更加怀念温热的面汤。

“啊，这位客人，那边有卖食券的机器。”一个 50 多岁的男店员用手指了指门外。

“欸？”良多一愣。

过去没有卖食券的机器。良多想不吃就离开，但实在饿得难受，他只好垂头丧气地走出店门，去自动售券机上买券。

大虾天妇罗面涨到了 450 日元。钱包里有一张 1 万日元和两张1000日元的纸币,加上 4 枚 100 日元和两枚 10 日元的硬币。良多不愿破开 1000 日元的纸币,他清楚一旦破开便会迅速花完。

虽说七尺男儿不能吝啬 30 日元，可是此刻良多颇有些英雄

1　没有座位只有站位的料理店。

气短之感。他按下大虾面边上 420 日元的蓬蒿天妇罗鸡蛋面的按键。

上了大巴，比想象中拥挤。良多坐到最后一排的座位上。身体壮实的良多坐一人座相当局促。

良多环视车厢，有些吃惊，乘客几乎是清一色的老人。大巴车靠站后，下车的尽是老人。

“我说，你忘伞啦。”一个老妇人把忘记在座位上的雨伞递给另一个老妇人，两人边聊着边下了车。听她们的聊天内容不像彼此认识，下了大巴车后两人还在继续聊着。良多向窗外望去，看到一座崭新的大型老人院。这些人大概是去探望住在那里面的人或者去接受一天的医疗服务吧，他琢磨。

从这个站点发车后花了恰好 15 分钟抵达目的地——住宅小区的中心。大巴车车站还保留着“小区中心”的站名，但此地已经变成了商店街，名叫“旭之丘绿色商业中心”。商店街里建起了新的超市，虽然今非昔比，但还是能感到一些人气。

对面的西武商店街则显得门可罗雀。拱顶下连成一片的店面有近半数拉下了铁门。这里曾经人流如织，走在商店街上甚至是一桩十分费力的事。良多停了片刻，打量已经变得锈蚀的拉门排列成行的光景。

良多脸上泛起了笑容。他视线的前方出现了营业中的西式点心店“豪恩”（HORN）。这家店的蛋糕物美价廉，一直以来很受欢迎。

良多很不情愿地破开了1000日元的纸币，买了母亲喜欢吃的巧克力蛋糕。买一块还是……他稍微犹豫了一下。良多不想让母亲看出自己的窘迫，最终还是买了两块。自己的那份，挑了一块过去就十分爱吃的蒙布朗。走出点心店，可能是出汗的缘故，也可能是因为刚才喝干了面汤，良多的嗓子渴得冒烟。他在自动售货机上买了一罐冰可乐。不出所料，纸币一经破开便轻而易举地花了出去。良多“咕嘟咕嘟”地将可乐灌进了喉咙。

走进小区，就算是平常日子的中午也不应该冷清到不见人影的地步。良多走进公园，那里没有玩耍的孩子。在过去孩子们最喜欢的章鱼造型的滑梯边上，竖着一块三角形的警示牌——“禁止入内”。滑梯是水泥做的，看上去没坏。

一路上没遇见一个大活人，良多抵达了母亲住的 2-4-1 号楼。他抬头仰视，外墙是多少年前重新粉刷的？至少超过 10 年了，他想。外墙上鲜艳的色彩，看上去比较轻浮，不过早已看习惯了。虽说是旧小区，但打扫得很干净，花坛上的植物也修剪得十分美观，这一点和过去没什么两样。不知何故，良多总觉得小区里光线有些昏暗。

“篠田君。”背后有人叫自己的名字，良多转过身去。

是上中学时的同学中西夏实。她手里提着超市的塑料袋从自行车停车场方向走过来。夏实脸上似乎没有化妆，身穿一件领口已经松了的 T 恤衫，浑身散发着家庭生活的气息。还有从塑料袋里冒出头的青葱……良多这样想着，但自己哪有资格说别人，他脸上露出了一丝苦笑。

“稀客啊，你还好吗？怎么在这儿？”

夏实一连串的问题，良多有点不知所措。

“啊……我父亲的葬礼结束后要处理点事，还有那什么……”

良多支吾着，夏实弯腰鞠了一躬。

“请节哀。伯父的事情太突然了。”

夏实的父母还健在吗？良多想。自己几乎很少回小区，所以没有这方面的信息，他也只有鞠躬回礼。

“啊，多谢。原先还以为我母亲会先那什么的……”

这次轮到夏实不知该怎么接话，她话锋一转：

“话说回来，这么一下子去了，身边的人轻松了。”

“说的是啊，卧床不起的话就麻烦了。”

“一点儿不错，猝死是最幸运的事。”

夏实说得似乎深有感触，难道她父母卧床不起？不过，良多想起了另一件事。

“夏实酱[1]，你在杉并不是那什么了吗？”

夏实和住在杉并那里家有土地、岁数比她小的男人结婚了，

1 “~酱”是日语中对人的昵称。

当时成了小区里的话题。

“我回来了啊。”

这是说离婚后回娘家来了？良多不知该不该问。

夏实继续道：

“你记得吗，去年小区里出过老人在家孤独死的事？”

“是吗？”

“是真的。5-3-5号楼的，过了三周才发现。”

夏实夸张地皱了下眉头，一张大饼脸变得生动起来。

“有这事儿啊……”

“所以我也开始担心。”

“你真孝顺。”

“哪里……”夏实笑着摇了摇头，“我家是两居室的房子。挤是挤了点儿，但租金便宜。”

“这倒是。”

“有些人家的儿女回来了，像美幸。对了，美幸离了两次婚。”

“是吗，山下小姐离两次婚了？”

活泼可爱的美幸滑过良多的记忆。

“篠田君，你好给力！”

听了夏实的话，良多心中一紧。

“不不不……”良多含糊地应道。

“最近和良美聊起你呢，她说你是希望之星。”

“什么希望……”

良多笑着想转移话题，还是被快语的夏实抢了先：

“得奖了，把伯父伯母高兴坏了吧？”

“哪里，我老爸老妈压根儿不关心这事。特别是我老爸，到死都没读过一本小说。”

夏实又要开口，被良多露骨地打断，换了话题：

“良美，好想她啊！”

“现在成这样了。”夏实说着用手在腹部比画了一下，意思是比自己还胖一圈。

“这样啊……”良多笑了起来。

夏实似乎敏感觉察到了良多只是在随声附和自己，她就此打住。

“下次老同学聚一下吧。”

“老同学啊，可以吧……”

良多不由得脸色阴沉下来。

夏实大概注意到了良多的表情，她挥挥手转身离开。望着夏实的背影，良多后悔自己为什么不淡定，老同学聚会无非是一种社交方式而已。不过话说回来，万一答应下来真搞个同学聚会就难免尴尬了。就算夏实比较敏感,可大多数人不会考虑那么多。一想到那种场合要长时间地装腔作势，就让他的心情变得不悦起来。

良多迈开大步，他想把这种情绪排解出去。

母亲家住四楼。良多正欲上楼，忽觉远处传来陌生的声音，是通过扩音器播放出来的：“今天上午 7 点左右，一名 82 岁的老年妇女走失,身着米色长裤……”好像是寻找走失老人的广播。

加上刚才夏实说起的空巢老人死亡事件，又一次让良多感到这个小区迎来了“老龄化”。

良多沉思着上了四楼，着实不小的运动量，难怪母亲老说“受不了”。

良多按下门铃，屋里没有反应。房门锁着。他打开身边的牛奶盒，翻开铺在底层的小广告纸，下面藏了一把钥匙，和过去没有两样。

名牌上的“篠田”二字是真辅用毛笔写的。父亲为了写这块名牌特意买来了高级“半纸[1]”。母亲为此不停唠叨“写在广告纸的背面就行了”，至今让良多难忘的是父亲磨墨时一脸不屑的表情，很幽默。

良多拉开门，先喊了一声：

“没人吗？我进来喽。”

还是无人应答。良多脱下鞋子，直接进了原来姐姐住的卧室。这间四张半榻榻米的房间已改成了佛堂。要找的东西一定在壁

---

1 习字、写信用的日本纸。

橱里。

壁橱上层放着被褥，下层有一个多屉整理柜。

整理柜边上应该放着父亲的物品，但良多只发现了钓鱼用的器具，其实钓鱼的爱好没坚持多久，还有一些一次都没用过的生了锈的木工工具。没有父亲的物品，它们消失得无影无踪。当然也没发现良多要找的东西。

拉开整理柜，里面整整齐齐地放着母亲的衣物。

良多叹了口气，关上壁橱门，视线转到佛龛上。他看到了父亲的遗像，又马上移开了视线。他依稀记得整理柜最上层的抽屉里放着值钱的东西。

良多拉开抽屉，顺手抄起佛龛前供着的扁圆形大福饼咬了一口，有点硬。刚才把大虾面换成了蓬蒿鸡蛋面，这会儿有点饿了，不过也没什么食欲。

打开抽屉，第一眼看到的是当票，有好几张。都是进入平成年[1]以后的日期，超过10年了，它意味着抵押在当铺的物品已经一去不复返。

良多还是把当票一一确认了一遍，有的只有1000日元。“女式手表”(精工)无疑是母亲的物品。还有2.9万日元的贵重物品，“西阵织筒带”当然也是母亲的。母亲娘家富裕，应该是结婚时带来的。当票上清一色地写着父亲的名字，不用说都是父亲偷带出去的。

“高松冢啊！”良多不禁叫出声来。

当时年少的良多在邮局排了很久的队，买到了三种整版高松冢古坟纪念邮票。他把邮票插入集邮册，放入写字台的抽屉里。被自己视为宝贝的邮票，不知什么时候不翼而飞了。大学毕业离家时，良多带走了写字台。偶尔想起集邮册时他就找一下，可就是找不见。是父亲趁搬家混乱时拿走了吗？当票上的金额只有3500日元。集邮册里除了这套邮票外，还有很多其他整版和零

1 1989年1月裕仁天皇去世后明仁天皇继位，日本年号改为“平成”。

碎的邮票，恐怕全被父亲拿去换钱了。

还有围棋盘和棋子、啤酒代金券等，能卖的东西都进了当铺，有的东西还卖了不错的价格。

良多将当票放回抽屉，手指触碰到了捆在一起的彩票。彩票种类五花八门，有年末发售的也有夏季发售的。父亲把它们放入抽屉前当然不会不确认中奖号码。没准也有漏看的，良多这样想着将彩票全部塞进口袋。

良多拉开下层的抽屉，里面塞满了母亲的内衣裤，赶紧关上，这是遭天谴的。

他又翻了下其他柜子，发现了一台眼熟的相机。不是数码的，是用胶卷的国产老式单反机，应该能换点钱。

此时，玄关有了动静。良多停下手脚，仔细辨认。没错，是开房门锁的声音。良多特意上了锁，就是为了能及时发现动静。

良多轻手轻脚地把相机和彩票塞进了搁在厨房椅子上的提包里。

“谁呀？是良酱吗？”

母亲大概看到了鞋子才这么问。听到母亲的大嗓门儿，良多的良心隐隐作痛。他又看了一眼提包，彩票露了出来，他将彩票往里塞了塞。

与此同时母亲淑子的脸出现了，良多立刻装出气定神闲的模样。

淑子凝视着良多。似乎要被母亲看透内心，良多移开了视线。

“要来也不先说一声。”

“对不住，对不住。”

“什么对不住？”淑子的视线又回到良多身上。

“没什么……”良多心绪不宁地答道，口齿含糊。

“你干什么呀？”

语气虽不是咄咄逼人，但淑子身上由里而外透着一股威慑力，让良多无法掩饰下去。母亲的这种个性也许是在与父亲的共同生活中培养起来的，良多决定放弃狡辩。

“我找老爸的遗物，突然想要一些。”良多将蛋糕递给母亲，笑道，“我买了豪恩的巧克力蛋糕。”

“你要什么？钱？你嘴上有白的东西。”

果然无法掩饰，淑子一语中的。良多在母亲面前没有胜算，连偷吃一口大福饼都逃不过她的眼睛，只有坦白。

“是那样，咱家不是有幅立轴吗？那是宝贝啊，老爸说拿去电视节目鉴定了，值 300 万……”

“家里没那东西。怎么？你缺钱了？”

淑子单刀直入地发问，看不出有什么担心的样子。她在起居室里摘下帽子，用手整了整头发，脱下薄外套。

“不缺钱，发了不少奖金。”

“多少钱？”母亲问得很直接。

“别问那么具体。”良多支吾道。

淑子笑了起来。

“你不会撒谎，不像你爸。”

良多不得不认输。狡辩的话，只会越描越黑，况且自己不会撒谎。这一点也时常被人诟病，是混迹职场的致命伤。

淑子开玩笑似的在良多的腹部捅了一拳。良多突然挨了母亲一下，哼唧了一声。不过他并不死心。

“真的不见了？放在这样大小的细长盒子里。”

良多确实见到过那东西。父亲曾经十分得意地从壁橱里取出来，细长的木盒有些年头了。盒子上有毛笔写的字，时间久了字迹已经变淡，这种老旧的感觉看上去很值钱。

“你爸的东西葬礼第二天就全部扔掉了。”

淑子回到厨房，将手里的塑料袋放在饭桌上。透过塑料袋能看到里面的 CD 片，写着“贝多芬”几个字。

“都扔了？全部？”

“嗯。”

“没瞎说？”

“放着只是占地方。”

良多长叹一声，有气无力地在椅子上坐下。多么值钱的古董啊，就这么被当成垃圾扔掉了。300 万日元！良多心里默默哀叹。他不由得抱怨母亲：

“太过分了，50 年都那什么了……就这结果吗？”

淑子的口头禅自然也传染给了良多，家里不说“那什么”的只有父亲一人。

“你说什么呢。你呀，真是个傻孩子。正因为 50 年都那什么了……所以才会这样。”

良多叹了口气。“您可真深奥。”他嘀咕道。

“深奥吧？！”淑子说着打开冰箱门，把蛋糕放进去，她感受了一下冰箱里的冷气，接着叹了口气。

“雪舟真的没了。”良多一脸沮丧地嘟囔。

“今天好热。”淑子把冰箱门当扇子那样“扇”着。

“谁叫您穿外套，短袖足够了。”

淑子在冰箱里翻弄了一小会儿。“找到了。”她取出两只小口杯，里面装着冻成冰块的可尔必思，她将其中的一只小口杯放在良多面前。

“刚巧，有两只。”

“我不吃，已经不是夏天了。”

“说是今天超过 30 摄氏度了，老天发疯了。”

良多用手指戳了一下放到眼前的冰块，硬邦邦的。

“这么硬，怎么吃？还不如买些冰块。您不是有养老金吗？”

“买来放着的话，千奈津家的小鬼一来马上给你一扫而空。不如这个，吃起来费力，多好！”

自良多小时候开始，母亲的这套理论就没变过。不只是为了节约，还有母亲的一番用心。结果良多和千奈津都爱上了这种冰块，一到夏天都会想起来。

淑子将吃柚子用的带锯齿的勺子递给良多，这把勺子也充满回忆。良多一脸不满，但还是拿起勺子开始用力戳冰块。

“姐姐常来？”良多边问边站起来。

“为什么这么问？”

“没什么，看到大福饼了。味道不敢恭维。”

千奈津在老字号的日式点心店“新杵”打临时工已有七个年头了。从那时候起她往娘家带的都是破了皮、没卖相的打折点心，不过味道不受影响，这让平素节俭的淑子十分高兴。如果买正品的话，这家的点心着实不便宜。

“她家没吃的就来了。”淑子笑道。

“您还是提防着点儿。”

“为啥？”

“不为啥。说不定有什么企图，吃不准她。”

听了良多的话，淑子“扑哧”笑了出来。

“我身上就剩点骨头了，没啥好啃的。”

良多也无精打采地笑了起来。自己正是想要啃那点骨头的人，目标是立轴。

良多用勺子戳开冰块的表面，闻到一股奇特的气味。

“什么时候做的？一股冰箱的怪味。”

冰块将冰箱特有的气味吸了进去，倘若用保鲜膜裹一下也不至于如此，母亲一定觉得用保鲜膜是“浪费”。

淑子将鼻子凑近冰块，“把上面刮掉一些就行了。”她说着，若无其事地将冰块送进嘴里。

良多拿起桌上的 CD 片。

“听起古典音乐来了，受谁的影响？长冈太太？”

长冈太太是母亲的朋友。她丈夫是个普通的工薪族，和篠田家一样，也属于租房一族。不过，良多听说长冈夫妇每到结婚纪念日便会花几万日元去听音乐会。

淑子摇了摇头，很少见地结巴道：

“行……行了，是谁不重要。”

母亲貌似面带愠色。良多想这只是为了不让自己追问下去施的伎俩，反倒有点小兴奋。

“之前您不是喜欢听毒腹[1]的节目吗？”良多调侃道。

“那个是那个，这个是这个。”

淑子把话题完全拉回到自己的掌控范围。良多拿起饭桌上的小音响。虽说是新品，但只有一个扬声器，好像不适合听古典乐。

“这个不行，听古典乐该买个更好的音响。这像个机器人似的。”

“形状是有点那什么，但可以带进浴室……”

1　毒腹即为“毒腹三太夫”，日本著名演员，除了出演电影、电视剧，还参演各类搞笑节目。在电台主持以老年听众为主的节目，尤以毒舌类脱口秀深受欢迎。

“哦，防水的。”良多脑补母亲洗澡时边听古典乐边跟着哼哼的模样，差点笑出声来，那场面很快活。

“邮购的，值了。”

现在的家电大概都是体积小、音质好吧，良多不得不刮目相看。

聊天暂告一段落，两人各自埋头戳着冰块。

“太硬了吧？”淑子笑道。

“连可尔必思都自己做，老妈太抠了。”

由于糖度太低，饮料结成冰块就像清水冻住后那么坚固。

良多心里惦记着相机的价格和有没有漏网的彩票，开始坐不住了。不过他也知道，即刻告辞的话母亲心里一定很难过，所以张不了口。

他走到阳台上，想抽烟。

淑子在饮料罐里装了自来水跟着上了阳台。饮料罐的口上装了一只过去没见过的盖子，变成了一个小喷水口。这只饮料罐是专门为花瓶、花盆里的植物浇水用的工具。

良多点上烟，望着对面的大楼。楼底下停着一辆带棚顶的三轮车，有个小伙子从货架上取下货物，提着超市的塑料袋飞快地跑上楼梯，看样子是小区中心某个超市的送货员。

“欸？超市还送货上门？”

“是啊,三楼以上的才送。”淑子回答。阳台上放着很多花盆，她给它们一个个浇水。

“真是方便多了。”

“上了年纪，腿脚不利索。”

如果买了分量很重的牛奶、饮料、大米等食品的话，年轻人提到楼上都会感到费力，对老年人来说更是残忍的事。

“真安静。”良多嘟囔道，“没有玩耍的小孩儿了，我们小时候老爱在草地上打棒球。”

那时的草地也不像现在这样是郁郁葱葱的一大片碧绿色，孩子们在草地上打棒球，地面被踩得干枯了，只有四周零星长着一些绿草。现在这个小区中已经几乎见不到在草地上嬉闹的孩子。

过去总是让放学早的低年级同学先去占草地，为此良多他们使出了各种招数，但通常又被年长的坏孩子横刀夺爱……良多想起这些往事，一股暖流不免涌上心头。

“有喜欢的女生，我们就故意把球丢到她家的阳台上。”

当然捡球的不是那个女孩，而是女孩的母亲。几次之后免不了挨别人骂。

“嗯嗯，”淑子边浇水边应道，“说到这些我倒想起来了，夏实酱回娘家来了，带着孩子。”

母亲说的就是刚才在楼下遇到的“在杉并那什么了的夏实”。

“嗯，刚才遇到了。”

“出轨被发现了，丈夫和她离了。”

“嗯？是这样吗？”

良多想到夏实可能离婚了，原因是出轨却有些出乎他的意料。

“小区里传开了。”

“是吗……”

“那孩子，上中学时喜欢过你吧？”

“没有啊……”

连一点风声都没有听到过。

“她妈向我提起过。她问我，你家良多和我家女儿怎么样。”

“哦？有这事啊，怎么不告诉我，啥时候的事？”

当时假如知道了肯定会不知所措，可也的确想知道真相。

“很久以前的事了，差不多有20年了。”

良多笑了。当时自己还在打零工，根本不可能考虑结婚。

“什么呀，那么遥远的事。”

“怎么，现在你就接受吗？还是算了吧，这里不老实的家伙！”

淑子露骨地指了指良多的下半身。

“过分了吧！别这么说话。”

淑子不再理会良多，为花盆里的橘树浇水。其他盆栽都是矮矮的草类植物，只有这棵橘树长势喜人。

“还记得吗，这棵橘树？”

“记得，我上高中时种的，长这么高了。”

原以为橘树会妨碍母亲晾晒衣物，没想到竟把它养这么大了，良多鼻子有些发酸。

“不开花也不结果，我就把它当作你，每天为它浇水。”

如果是挖苦的话，算是最高境界了。

“说话太不中听。”

淑子赶紧纠正没有挖苦的意思。

“毛毛虫吃它的叶子长大。最近有条毛毛虫变成蝴蝶了，翅膀上都是蓝色的条纹……一会儿给你看照片。”

“不用了，不想看。”良多还是有点不快。

“橘树也算派上用场了。”淑子继续说。

“我也不是吃白饭的。”良多不平道。

“啊，是啊。台风要来了，帮我把橘树挪一下。”

“哦，小事一桩。”

良多在母亲的指挥下将橘树花盆移到窗边，移门突然发出一声玻璃被碰碎的响声。

良多的臀部碰到了身后的长柄笤帚，戳破了玻璃。良多正准备打扫，母亲说弄散了玻璃很麻烦。她先收拾了大的玻璃块，随即用吸尘器吸了起来。移门上的玻璃没有整块碎掉，只是最下面木框里的玻璃碎成了瓜条状，只要用硬纸板之类的东西糊一下还能凑合用一段时间。

玻璃碎片在吸尘管里发出“噼噼啪啪”欢快的撞击声。

趁母亲打扫，良多躲进了曾经属于自己的那个房间。

房间紧靠玄关，上中学时良多要求让他住进去。不暴露在每天以起居室为生活中心的父母的眼皮底下，良多便有了溜出去的机会。当然也不是干什么坏事，夜里和约好的小伙伴在公园里聊天，那种自由的氛围让良多心里十分畅快。

现在已经长大成人的良多躲在这个房间里打手机。

“什么？奇怪啊，周六已经汇款了……好吧，明天我再去银行确认一下……”

良多语无伦次的辩解显然在撒谎，被对方毫不客气地戳穿。

“不不，没撒谎。”良多还在辩解。

对方直接挂断电话。“喂喂……”良多对着手机连声叫道，没有反应。

门外有人拉门。良多对不敲门直接闯入房间的母亲向来束手无策。上高中后他在门上装了把锁，说起来，也只是在西武商店街的小五金店里花150日元买的简单的铁钩，只要用力一拉移门，铁钩就会弹飞。尽管这么不中用，也起到了绝佳的效果。

自那以后母亲便开始隔着房门招呼他，这把锁是良多“长大成人”的象征。

“咚咚！”淑子用嘴代替手敲门。手指敲在纸门上只会发出沉闷的声音，而且有可能敲坏，淑子为此没少数落良多。

“干什么？”良多不耐烦地打开门锁。

淑子像找东西似的环视了一下房间。房间里堆满了杂物，书架上还是老样子，摆放着良多熟悉的书籍。原先放写字台的地方堆着衣箱，里面是母亲换季的衣物。还有些没有开过的纸盒，装着才买来的毯子。这个房间俨然已成了储藏室。

“咖啡做好了，吃蛋糕吧。”淑子说着，抬头看了一下良多，像在观察他。

“好，吃蛋糕。”良多将手机装进口袋。

“你在干什么？”淑子又瞥了良多一眼。

“没，没干什么……”良多结巴着。

“还说没什么，门都那什么了，谁的电话？”淑子追问。

此事绝对不能让母亲知道。良多开始编故事，心里做好了被母亲识破的准备。

“没什么事。事务所的年轻人不好好工作，我说了他几句……”

淑子还是紧追不舍：

“事务所？工作很辛苦吧？又要窃听电话，又要潜入民居，最近电视里还演来着。”

电视剧里的侦探都极为夸张。实际上这是个低调的工作，根本不是电视上演的那样。

“我又不是刑警，工作轻松得很。”

“不要干危险的事啊，你毕竟是家里的长子。”

说着，淑子忧心忡忡地在良多后背抚摩了几下。这是母亲的习惯性动作。母亲喜欢这样，在外面也是如此。长大后良多会很不情愿地甩开母亲的手，不过今天他决定顺从母亲。小时候母亲抚摩他后背的手有时真的很温暖。

“我先说清楚，我的工作只是为取材。”

为了寻找创作灵感而涉足侦探业。

“真是那样就好。你干的这份工作，我很难向板桥的大哥交代。”

“板桥”是淑子的大哥居住的地方。年龄相差悬殊的大哥就像淑子的父亲，他在一家老字号的高级文具商社工作，很有钱。

淑子经济上一遇到困难就往板桥跑。父亲当然从不去板桥，诸如中元节和年末，亲属之间的礼尚往来都是母亲一个人的事。良多也很怕严厉的舅舅，参加父亲葬礼时想方设法避开和舅舅直接照面。

良多的脑海里浮现出母亲被舅舅问及儿子近况时的窘态。

“好的好的。”良多稍稍提高了嗓门儿回答，他想甩掉脑子里的念头和母亲的追问。

“晚饭想吃什么？你突然来了，家里只有乌冬面……”

良多瞅了一下手表，摇了摇头：

“不吃了，我得走了……”

听良多这么说，淑子用略为夸张的、可怜兮兮的口吻恳求道：

“啊呀，别走那么急啊。”

“别说得跟生离死别似的。”

“有啥事？工作？”这次的语气异常平静。

“算是吧，我也是重任在身呢。”说着，良多有些踌躇，很久回一次父母家的“重任在身”的中年男人，走之前该干点什么呢？

良多算了一下回程的车票价，趁淑子不注意，取出钱包，抽出一张1万日元的纸币，随后迅速将钱包放回口袋。他不想让母亲看到钱包里剩余的钱。

“这是？”淑子一脸惊讶。

“给您的零花钱。”

淑子神情严肃地凝视着 1 万日元。

“去买点 CD 片什么的吧。”

“不用了，我有养老金，没什么困难。”

良多听出了母亲的说话声音在颤抖。大概，不，绝对是自己第一次给母亲零花钱。

“收下吧，难得一次。”

良多尽量用轻松的语气说。淑子像拜神似的合拢双手，将 1 万日元夹在手心里毕恭毕敬鞠了一躬。突然，她开口央求良多：

“不如给我买商品房吧？芝田家空出来了，三居室的房子。”

小区中租赁房和商品房归不同的大楼，这一区分滋生了歧视。蓧田家住的是租赁房。就连孩子们都知道“租赁房”是个蔑称。

良多太清楚母亲想要住商品房的理由了。虽说公营小区里的租赁房比私人出租房便宜得多，但一直需要支付租金，这让母亲十分不安。

可是，商品房的价格恐怕不会低于 1000 万日元。对甚至拿出一张 1 万日元都犹豫不决的良多来说，这个数字不是开玩笑的。

“说什么傻话，一个人不需要那么大的房子吧？！”

“是啊，你也就那点出息。”

母亲说得如此直白，良多感到有些沮丧，也有些难过。

“我是大器晚成型。”他虚张声势道。

“也太晚了点，你再不抓紧点我就成这样了。”

淑子用手把脸往下拉，做出一张鬼脸，用冤死鬼似的声调吐出“三居室”几个字。

在淑子的挽留下良多还是吃了午饭，油豆腐冷乌冬面。母亲又给他看了被橘树喂大的蝴蝶的照片。过了一会儿，良多坚持要走，淑子好像也死心了，只让他把两捆报纸带下去，说拿到回收点太沉了，要累死人。“小事一桩。”这次良多没有再犯移动橘树时的错误，提了就走，但中途也累得不得不停下来休息片刻。

紧追其后的淑子，每下一层楼都要发出“哎哟”的声音，看上去很吃力。到了楼底，“要断气了。”她一把抓住良多的手臂，像拄拐杖似的支撑着身体走路。对母亲的夸张表演，良多早已习以为常，所以只是笑而不语。

良多忽然发现母亲朝着另一个方向点头打招呼。母亲平时谈不上粗鲁，但总是大大咧咧的，这会儿却十分温和地招呼着什么人。良多顺着母亲的视线望了过去。

一个装扮颇有品位的老绅士正朝这边走来。老绅士身上的衬衣浆得十分挺括，戴着领结，头上一顶软毡帽。小区里很少见到这种品位高雅的男人，他两只手中各提着一个书店和干洗店的口袋。

老绅士看上去和母亲年龄相仿。

“仁井田老师。”淑子向男子鞠了好几个躬，快步迎上前去。

“啊，你好。”仁井田用深沉的嗓音回应道。

“这是我儿子，就是写小说的。”

淑子介绍良多。

“初次见面。”

良多点了下头。他在记忆中搜索了一遍也没想起仁井田这个人。

“这位是仁井田老师，最近经常受他的关照。”淑子嗓门儿很大，良多有些不安起来。

“母亲一直受到您的关照……”

他想感谢几句，被仁井田“啊”着用手制止了。仁井田动作优雅，不让人反感。

“我读了你的小说。书名是……我记不起来了。‘无人的……’”

“《无人的餐桌》。”

“对对，餐桌。是纪实小说还是私小说？”

他“真的”读了，良多窃喜。很多人只记着书名，压根儿不知道内容。良多的小说以写现实题材见长，有书评称赞说，他的小说通过众多现实性话题表现人类内心深处的情感。

“是虚构的。”

“是吗？小说里写的姐姐很真实。她和婆婆之间的那种关系……”说着，仁井田用两只手指做出干架的手势。

婆媳间冲突的部分的确写得很有现实感，对此，评审委员也给予了高度评价。

他大概爱读小说，和自己的老爸、老妈截然不同，良多想。

“谢谢！”

“这孩子小时候语文就好。是吧？”

良多想要阻止淑子无所顾忌的吹嘘，仁井田却很绅士地点着头。

“我想也是。俗话说‘自古英雄出少年’，令郎一定从小就文采出众。”仁井田注视着淑子，“那么，我先告辞了，下次听贝多芬的131号作品。”说着，他点了下头转身离开。

“好的。”淑子也温柔地答道，很有礼貌地鞠躬目送仁井田。

良多望着仁井田离去的背影，他腰板笔直，相当有型。

“原来如此，CD片。”良多找到了答案，开心地笑着。

“没错。有个活动，我在做预习。”

淑子高声道，想要掩饰自己的羞涩表情。

“他住哪儿？”良多刨根问底。

“2-2-6。”

“啊，果然是商品房。感觉就像是住商品房的人。”

“是啊，家里有客厅和一套大沙发。那么大的房子！”

“家里还有谁？有太太吗？”

“听说太太三年前去世了。为啥这么问？”

“不为啥。干洗店的口袋里装的是女装。”

“是他女儿的吧？不愧是侦探，火眼金睛。”

良多摇了摇头。

“不，不是侦探，是小说家敏锐的洞察力。”

两人朝小区中心的车站方向并排走着。

“行了，就到这儿吧。”

“送到车站，你好不容易回来一次。”

“什么好不容易……”

被良多这么冲了一句，淑子还是喜笑颜开。毕竟儿子很久没回家了，和儿子走在一起，她心里高兴。

“前几天经过这条路，有只蝴蝶一直跟着。”

“什么？就是那只蓝蝴蝶？”

“不是，是只黄的。我觉得是你爸，就叫了一声‘他爸’，蝴蝶就停在那儿了。”淑子用手指了指眼前树丛里的一棵山茶树。

“嗯……”良多凝神看着山茶树。

“我对蝴蝶说，我一个人活得很快活，暂时不要来接我。我这么一说，蝴蝶就扑扇着翅膀朝那个方向飞走了……”

“就这儿啊，我还以为有更好听的故事呢。”

“让你失望了。”淑子吐了下舌头。

良多看了一下母亲，发现她化了淡妆，这种事相当少见。良多脑子里又出现了那个仁井田。不过，这也是好事，他转而又想。

到了车站，下一趟车又等了很长时间。虽说阳光依旧很强烈，但毕竟已经入秋了，他身上没有冒汗。

良多让母亲回去，淑子不愿意，偏要等到车来。

良多最怕为了打发等电车或大巴车的时间没话找话。他突然想到一个不错的话题，这个话题应该不会太长。良多不喜欢车来了话还没说完这等虎头蛇尾的事情。

“对了，那个公园里的章鱼滑梯被禁止入内了。”

“听说有孩子从上面掉下来，自治会上都吵起来了。”

“哦。”

“这事闹得……掉下来的孩子是不是有点傻？”

“就是。”良多完全赞同母亲的观点。

良多小时候也见过脚下一打滑掉下滑梯磕破头皮的孩子，但从没听说过闹到自治会要求禁用滑梯的事。

淑子装着不经意地问：

“和真悟经常见面吗？”

真悟是良多的儿子，上小学五年级。儿子姓白石，跟前妻姓，良多每月支付5万日元的赡养费，换得一个月一次的“父亲”角色。

“他开始打棒球了。”

“棒球？那孩子吗？”淑子的语气显得很吃惊。真悟的确不是那种运动神经发达的孩子，性格内向且文静。

“我想给他买一副棒球手套……”

话锋不由自主地转到钱上去了，良多赶紧闭嘴。

淑子像探听什么秘密似的压低嗓门儿：

“响子呢？还好吧？”

“啊，还行吧。”

白石响子是良多的前妻。

“哦……”淑子的声音有些忧伤。

“工作好像挺忙的。”

“女人有工作的话就会那什么。”

淑子说着叹了口气。女人有了工作就有了生活能力，就会导致离婚，淑子是这么想的。这一话题是危险的雷区，良多朝马路对面张望，盼着大巴车快来。

“你说，我说的对不……”

淑子又说了一遍，长叹了一口气。

幸运的是大巴车很快来了。

大巴车一在清濑站停下，良多便下车去了当铺。那是父亲经常光顾的地方，店名叫“二村”。母亲的筒带当了 2.9 万日元，还是很有诱惑力的，这家当铺没准很大方，他想。

“二村”是一家老当铺。它在马路的尽头，木制的围墙里有一栋木结构建筑，并且另有一间非常漂亮的土墙仓库。良多拉开移门，走进会客室，那里放着一张椅子，当铺主人二村坐在玻璃墙后面。

良多二话不说取出照相机，通过玻璃下的开口送了进去。

二村移开老花镜，眼珠朝上翻着看了一眼良多。他接过相机说“请稍等”,便仔细查看相机。他卷了两下胶卷,按下几次快门,快门似乎还很灵敏。二村又确认了焦点、镜头，仔细检查了相机身上的划痕。

“怎么样？没坏吧？保管得很仔细……”

二村瞅了良多一眼。

“您是住小区里的蓧田……”

“是,我是他儿子。”良多点头行了个礼,二村应该没见过他。

“我说呢，看到这台相机我就明白了。”

也就是说父亲也在当铺抵押过相机，只是后来还钱赎了回来。想到这里,良多一下子记起来了,小学开运动会的那天清晨,母亲为找不到相机吵吵了大半天。父亲默不作声地外出后，又若无其事地挎着相机回来了。

不错，就是那时候的事。不，那之后相机没准又被抵押、赎回过好几次？

“您就是那位写小说的吧？”二村问。

不不，写不出来所以才来当铺。良多甚至连开玩笑的劲头都没有。

“父亲一直受您的关照。”良多鞠了一躬，一句多余的话也没有。

二村从窗口递出 3000 日元，良多立即装进钱包。

“谈不上关照。那时真的很为难。令尊拿着破破烂烂的立轴求我收下，说儿子的手术费等着急用。”二村笑着回忆道。

“手术？”

“啊，说是头上长了个很大的肿瘤。”

“我从没住过医院。”

“是吧！我也这么想。”二村说着笑了起来，“老婆！”他对着店铺里面喊，没人应声。

“是那幅雪舟的立轴吗？”

“没错。不过，那幅立轴是印刷品。”

“印刷品？”

“嗯，只有盒子是真的。”

只有盒子是真的？

那值多少钱？良多正想问，二村又笑了起来，良多把话咽了回去。

“后来令尊又来了，说儿子的病治好了，让我给他钱庆祝一下，挺荒唐的。”

父亲的确是个荒唐的人，良多苦笑了一下。

“老婆！”二村又喊了一声，还是无人回应，“去哪儿了呢？”二村嘟囔着，退到了里屋。

“是印刷品啊！”良多长叹了一声。

只有盒子是真的，是不是意味着里面的画曾经也是真的？这个念头一直在良多的脑海里挥之不去。难道父亲先把里面的立轴卖给古董商，只留下一只盒子，装上赝品后再次卖出，却被二村识破了？

良多觉得这的确符合父亲一贯的作风，可问题又来了，他买雪舟画作的钱是从哪儿来的？

良多霎时意识到，钱来自赌博。父亲可能赢了一大笔钱，这笔钱没有用在吃喝、玩女人和赌博上。可为什么偏偏是古董呢？虽然父亲字写得好，但写的尽是楷书，几乎没见他写过可称得上“书法”的作品，而且他对绘画也不感兴趣。

会不会是什么人转让给他的？良多从不觉得父亲有这种朋友。良多绞尽脑汁儿也想不明白这幅立轴在父亲手里的理由。正如二村所说，父亲的确是个做事荒唐的人。

良多没有去侦探事务所，而是进了车站前的“柏青哥[1]”。他本打算用3000日元美美地饱餐一顿，但赌博机转瞬就将口袋里的钱吞噬得一干二净。这一天良多就吃了两碗乌冬面。

1　音译，在日本十分流行的一种用小钢珠方式进行娱乐的赌场。

質
二村

海よりもまだ深く

2

学弟町田健斗将车停在新宿站西口的马路边上等良多。不守时的良多果然在约定的时间内没有出现，町田对此早已习以为常了。

最终，良多出现在町田面前，比约定的时间晚了 30 多分钟。

“对不住，对不住。”良多说着坐上了副驾驶座，拉开咖啡饮料罐喝了起来。

他发现町田看着自己，于是问了一句：“你喝吗？”将咖啡递给町田。

“不用。”町田一脸无奈地发动了引擎。

目的地是立川，对方指定了车站前的咖啡馆。

甲州街道并没有堵车，由于良多迟到使得抵达时间比约定的1点晚了五分钟，站前停车场已经满车，找不到停车位。

良多等得不耐烦了。“我先下了，你停完车后过来吧。”说着他匆忙下了车，跑进咖啡馆。

町田在车站周围又转了十多分钟，终于找到一个投币停车场。

町田擦着汗走进咖啡馆。这家咖啡馆的装潢很老派，弥漫着昭和时代的气息。除了良多和一个女人面对面坐着，没有其他客人。

女人穿着华丽，化着浓妆。根据对她的身份调查，这是一位家庭主妇，年龄32岁，已婚，没有孩子，名字叫安藤未来。

“我帮你要了杯咖啡。”良多说着，对町田露出了笑容，算是弥补刚才一个人喝了罐装咖啡的罪过。实际上在咖啡馆里的消费可以从事务所的经费中开支，良多一点儿也不心疼，车也属于事务所的财产。

“好吧，我们来谈正事。”良多开口道。町田有些失望，原以为他们已经谈得差不多了。之前的 15 分钟，他和这个女人谈了些什么?

良多从提包里取出信封，轻轻往前一推，信封滑到女人跟前。

未来一脸惊奇地拿起信封，抽出照片，霎时变了脸色。

照片上未来和外遇对象的身形十分清晰，两人正走入情人旅馆。

“这种场合解释是没有用的，情人旅馆。”

良多笑容可掬地说道，语调充满不容辩驳的气势。

未来沉思了片刻，随即决定不再分辩，将信封放回桌上。

“是我老公委托你们调查的？”

“是的。”

“也就是说他一直怀疑我？”

“好像是吧，怀疑你和前男友之间的关系。”

未来轻轻咂了一下舌头。“我和他是五十步笑百步。”她用轻蔑的口吻说。

良多用力点了点头。

“您的先生以您出轨为由以便在离婚诉讼中对自己有利，想尽量不支付给您赔偿金。”

未来又狠狠咂了一下舌头：

“吝啬鬼，太吝啬了！”

“最近经常遇到这种人。”

良多宽慰似的说道。未来将咖啡咕嘟咕嘟一饮而尽，叹了口气，望着天花板。

“啊，造什么孽了，我的人生？”

町田想起未来的家乡在和歌山县。她从和歌山辗转大阪、神户，最后来到东京，一直干着陪酒女的工作。两年前她和在大保险公司上班的丈夫结婚。假如用“双六[1]”来比喻的话，她也许可算作“赢家”。

町田又看了未来一眼。她抬头仰视着天花板，吐出一口粗气，随后用挑衅的眼神斜视良多。

---

1 奈良时代前从中国传入日本的一种以升官为内容的棋盘游戏。

“你们为什么给我看这些照片？”

良多拿起信封在手里晃了几下。

“我也可以直接交给委托人那什么。不过，如果您不希望我们这么做的话……”

良多没有说下去，只是颇有深意地凝视着未来。

“当然不希望……”

此刻轮到町田出场了：

“比如说，我们就当这些照片不存在……”

“能做到吗？让它们不存在？”

“能。”町田回答。

“谈这种事不能这么大声。”良多将脸凑近未来小声告诫道。

未来依次看了一下良多和町田，似乎理解了。

“多少钱？”未来单刀直入，她问的是消灭证据的费用。

良多没有正面回答问题，而是开始解释起来：

“我们必须先向您丈夫报告。您丈夫怀疑的时间，也就是说您和对方在幽会的这段时间里是怎么度过的，这需要您配合表演。我们必须制造出一些事实……”

听良多说着，町田从文件夹里取出几张照片，在桌上铺开。照片上是几个男女在家庭餐馆和宾馆大厅里聚会时相谈甚欢的场面。

“我们要拍些这种同学聚会前开准备会的照片。”

也就是说，为了消灭证据需要“经费”来制造其他证据。

经町田一番解释，未来笑得浑身抖动。

“行，我愿意，听上去很有趣。”

“那就太感谢了！”良多高兴地说。

町田收拾完桌上的“二次收费”的照片，未来又开口“三次收费”的提案。

“我说，既然有缘相识，我还想拜托你们帮我办一件和照片无关的事，可以吗？”

“当然可以，不过需要另外收费。”良多立即答应道。

和调查对象见面要求对方买下照片已经构成了恐吓罪，因此为了避免被告发，就要与调查对象共谋，捏造新的证据，但这也属于违反行规的违法行为。所有的阴谋无疑都出自良多一个人之手，而且不止一两次。只要不被识破，对谁都没坏处，这是良多的说法。

町田也反对过。他认为委托人不但支付了调查费用，而且在离婚案中无法造成对自己有利的局面，利益受损。

良多却有一大套理由来压制町田 :“他们雇用侦探，干着阴险的勾当，这是来自老天爷的惩罚。”

未来说要签新的合同，去一下银行就来。当然是去取消除证据的 10 万日元。

未来一走出店门，良多便得意扬扬地望着町田。

“还是按惯例行事？”

“又是高中同学会？每次都一样，所长不怀疑？”

“二次收费”瞒着所长，所收的费用也全都放进自己口袋，经费却由事务所负担。

“嗯，找一些和歌山中学时代的同学，不搞同学聚会，算是同学婚礼二次会[1]的召集人碰头会。”

对于良多不假思索的提案町田觉得挺无语。“行啊，比每次都一样强点儿。”町田还是同意了。

“这样吧，你还是给哪个学院打个电话，找四五个和那女人差不多年龄的临时演员。”

“一人 5000 日元吧？”

这是临时演员的费用。

“不用，3000 日元就够了。”

良多当即把价格压了下来。

既然是二次会召集人的碰头会，宾馆大厅或者卡拉 OK 之类的地方比较合适。需要调查两晚的状况，所以换一家店就要让她换一身服装。服装需要自行准备。整场时间大约三个小时，临时演员的每小时工资 1000 日元，加上餐饮费，需要的经费也就在 3 万日元左右。“赚大了。”町田略带嘲讽地说。

1　日本的风俗，在聚餐、酒会等活动之后转换场地举行更小范围的第二次聚餐、酒会等。

“笨蛋，不止这些费用，照片不也要花钱吗？”

“摄影师难道不是我吗？”

况且打印照片也用的是事务所的打印机。

“知道啦，我会额外付你一笔钱。”

良多没说付多少钱，町田一开始就没有期待。10 万日元是良多要给儿子的两个月的赡养费。上个月没钱支付，被前妻骂得坐立不安，这 10 万日元无疑会作为两个月合在一起的费用原封不动地汇入前妻的账号。

未来回来了。她放下从银行取出的 10 万日元，坐到椅子上。

“不好意思，我点一下……”良多确认了信封里的金额，“那我就不客气了。”他低头行了个礼，开始听未来说明新的案件。

快走到投币停车场时，良多去了边上的便利店。町田以为他去汇款了，就地等着，不料良多返回时手里还拿着未来交给他的信封。

“没汇成？”町田问。

良多一脸心花怒放的表情。

“说到立川你会联想到什么？”

手里握着钱的良多显得有些浮夸。町田无可奈何地叹了口气：

“唉，现在去吗？这10万日元，不是要用在您爱的家人身上吗？”

“为了给家人更多的爱，让它增值吧。那里是圣地，不能过门不入。”

立川赛车！加上这次，町田已经是第三次陪良多来自行车赛场了。良多一定是进便利店买了《体育报》。

“就当借了高利贷去赌一把。我已经烦透了借高利贷。”

在町田那里都借不到钱时，良多会说是紧急事态，让町田去借5万日元的高利贷。每当遇到这种情况，次月的还款日前良多一定连同利息一起还给町田。

“我要让它增值一倍，付房租，为儿子买棒球手套。”

棒球手套？町田斜视良多。

“我借您的 1 万日元呢？不是说买棒球手套吗？”

“遇到些意外，花完了。”

为了在母亲面前逞强，良多付出了 1 万日元的代价。

“啊？雪舟呢？没找到吗？”

“要找到的话就用不着这么费劲了。”良多一脸不耐烦的表情。

“棒球手套很贵，付完房租剩下的钱不够买的。”

“那就让钱增值三倍好了。该买美津浓的吧？把美津浓都买下吧。”

和前一次相比，良多又换了一种说法。那次下班途中，良多提议去场外马券销售点[1]。町田说车里的汽油不够绕到那里，良多夸口“别那么小气，赢了的话把欧佩克买下送你”。

当然，最后没买下那个石油输出国组织，口袋里的钱却输得一干二净，为了能返回事务所，町田不得不在加油站加了五升

1 赌马场地以外下注的赛马彩票销售点。

汽油。

"我说了多少遍，没那么容易赢钱。"

町田很清楚自己是白费口舌，但还是忍不住说教。

多少次被这个有勇无谋的蛮夫良多搞得手足无措，可是町田却无法对良多置之不理。每一次他都能感到表面看来做事鲁莽、不计后果的良多，他的内心是多么脆弱，町田从良多身上看到了去世了的父亲的影子。

町田坐到驾驶座上，无奈地发动引擎。

尽管是平常日子的中午，立川自行车赛场里依然人头攒动。

让町田吃惊的是，在主要比赛场次还没开始之前，良多已经在前两场的比赛中输了 6 万日元。这一年良多花在赌博上的钱数有增无减。

良多打算将口袋里的全部余钱为接下来的主要场次下注，町田对此不置一词。

主要场次的比赛开始后，良多旁若无人地高喊："吉田！吉田！”当然周围的看客也在大声喧闹，良多高大的身材尤其显得突出。

町田在良多身后吃着乌冬面。他对自行车赛没什么兴趣，但还是知道良多重点下注的“吉田”戴着黑色头盔。

如果吉田冲不进前三，那就意味着良多血本无归。

最后一圈的钟声响起，良多更是进入亢奋状态，他冲到第一排，双手抓住金属围栏，声嘶力竭地喊叫：

“吉田，加油！吉田，蠢货！”

吉田第四名。良多眼睛瞪得滚圆，回到町田身边抓起没喝完的啤酒罐一饮而尽。

他再次回到金属围栏边上，望着返回入口门里的选手。

“吉田，你这个蠢货、胆小鬼！你给我去争啊，去争啊！你这条丧家犬……”

町田在良多的带领下辗转过各种赌场，没见过哪个赌场的赌徒像自行车赛场里的赌徒那么亢奋。良多尤其过分，而且是最喋喋不休的一个。

吃完乌冬面，町田收拾了一下准备离开。

良多对町田伸出一根手指，满脸堆笑。

“1 万日元……不，5000 日元也行。”

“不行。”

“你！给我听好，那辆自行车没刹车，你不能让我在这个时候踩刹车吧？”

“莫名其妙的歪理。”

町田说着笑了起来。

“我会加倍奉还的。”

町田知道，无论怎么拒绝都无济于事，于是掏出最后一张 1 万日元的纸币。自己的口袋里仅剩 6000 日元了。

“得赶紧回去写报告，不然所长又要生气了。”

“反正都是胡编乱造的，就交给你了。好了，还赶得上最后一场。”良多大踏步走向投票窗口。

町田打算回事务所写报告。他径直向停车场方向走去，忽然又停住脚步，转向正门口方向。

上次跟良多来立川赛车场时他也让自己先回去，结果很晚被叫了出来。良多赌完身上最后一分钱徒步走到世田谷，饥困交加以致寸步难行，让町田开车来家庭餐馆接他。

不用说今天一定也会是同样结果。

果不其然，守候在入口等待良多出现的町田，在一群迈着无精打采的脚步匆忙打道回府的男人中发现了意志消沉的高大男人的身影——良多。

见到町田，良多露出了有气无力的笑容。“太好了！”他说着，一把抓住町田的胳膊。

事务所在距离阿佐谷站徒步大约五分钟的综合大楼的二楼。一楼有一家面馆但不提供外卖，町田端着一个托盘去取餐，老板给便宜了一个零头。

良多点了拉面，町田点了一碗拉面和半碗炒饭，还有饺子。饺子一半给了良多，那是吃到半途被巧取豪夺去的。所有的餐饮费都由町田埋单。

事务所里放着沙发和桌子，外加一张所长用的稍大的办公桌。这是家小型侦探事务所，包括所长在内一共四个职员。良多和町田面对面坐在沙发上吃拉面。一进门有一张接待用的会议桌和一把椅子，中间用一扇门隔断，来客看不见良多等人。

所长在接待客户。一位委托寻找走失宠物狗的中年妇女上门道谢帮她找到了爱犬。

町田从隔断的缝隙中可以看到委托人。那女人穿着很有品位，她带来了一只巨大的水果篮作为谢礼。看来是个大富婆，町田想。

女人的爱犬好像是一只马尔济斯犬，町田不太懂。近十天它一直待在事务所的一个角落里叫个不停，让人无法安心于手头上的工作。马尔济斯犬太过吵闹，搞得本来就讨厌宠物狗的所长肝火旺盛，町田只好把它带到楼顶上陪它玩，但不能带出去散步。

“真的费了不少神。穿着长筒雨鞋在善福寺川里追它，像一场大追捕。”所长向怀里抱着爱犬的女人解释道。

所长山边康一郎今年 50 岁。15 年前他辞去警察工作，开了这家侦探事务所。瘦骨嶙峋的所长让人根本无法和警察联系起来，但是，倘若被他那双毒蛇般的眼睛盯视，任谁都会毛骨悚然。

良多和町田都不清楚他辞掉警察工作的原因。听事务所会计兼所长助理小仓爱美说，是因为他私吞缴到警署的失物一事败露，虽说没有构成重大事件，但他还是辞了职。

“善福寺川很臭，是吧，篠田？”

所长高声招呼良多。

“是啊，沾了一身臭味，散都散不掉。”

良多咽下拉面迎合着所长。其实，良多一次都没下河，他在往电线杆上贴“寻狗启事”时，发现那条狗正迈着小碎步走在町田对面。事务所花的成本也就几张“寻狗启事”而已。

“多亏了你们，太感谢了！”

女人不厌其烦地鞠躬致谢，态度极为恭敬。

所长抱过马尔济斯犬哄道：“不要再一个人外出喽。”狗舌头在他脸上轻轻舔了几下。

“在第二个转角不是要回身吗？最后一圈不是会敲钟吗？听到当当当的钟声，我就觉得活得够劲儿。”

良多忘记了自己输得一败涂地的事，在隔断后面对町田津津有味地说着赛车的“乐趣”。

“只有那一刻才感觉自己活得够劲儿吗？”

“是啊，只有那一刻。”听着良多干脆的回答，町田笑了出来。

此时，爱美手里拿着辣油现身了。爱美比町田年长三岁，今年29岁，是个十足的美女，看上去比实际年龄小不少。

“只有辣油，可以吃的辣油。这是什么时候的辣油？”

“拜托你备些调料吧。我要柚子胡椒，一风堂橙色的那种。”

“那你不如去一风堂吃好了，这里又不是餐馆。”

“是是。”良多说着用勺子舀了一大勺辣油，放进饺子的酱油调料碟中。

“可是，您不是一直在输钱吗？”

“嗯？”

“我说的是自行车车赛。如果自己蹬着车轮参加比赛的话另当别论，可您一直在输钱还觉得自己活得够劲儿……”

“一直输钱？别说得那么过分。现在，你在与全国六千万的车粉为敌。”

这是良多词穷时的一贯说辞——“你在与全国六千万的车粉为敌”。

“没那么多人。”町田也一如既往地笑着反驳。尽管多少有点嫌烦，但毕竟不能对学长置之不理。町田从上小学开始练棒球，直到高中退学才终止，因此，他从骨子里有着对上下老幼尊卑关系的领悟。

“以为谁都爱狗那就大错儿特错儿了。”所长送走了客人后心情十分不快，说话开始卷舌。他把水果篮“咚”的一声搁在自己的办公桌上。

被狗舌舔过的脸让他觉得难受，他还是卷着舌头喊道：“爱美酱，给我拿条湿毛巾儿。”

“这个水果篮好高档，是高野水果店的吗？”良多往篮里瞅了一眼。

“啊，要了她十天的调查费，她不知道我掺了水。”所长笑嘻嘻地说。

签了合同后只花了两天时间便找到了马尔济斯犬，之后一直放在事务所里养，为此多收了调查费。所长不喜欢动物，甚至可以说极其厌恶。

从爱美手里接过湿毛巾，所长仔细地在脸上擦了起来，并随口问良多。

“你负责的那件事进展怎么样？”所长问的是未来的丈夫正式委托的案子，良多和那个女人在立川见了面。

“怎么样？”良多把问题甩给町田。

“还没有任何线索。”町田巧妙地敷衍道。如此一来继续增加调查经费不成问题，还有二次收费、三次收费……

所长和往常一样面无表情地注视着良多。

“她丈夫怀疑的前男友呢？”

良多再次将视线转到町田身上。

“就目前的调查来看前男友是清白的，应该是她丈夫想多了。”町田不动声色地撒着谎，瞥了良多一眼。

良多低头吮着拉面。所长的目光有时会让良多突然变得语无伦次，所以汇报都由町田承担。

所长似乎接受了町田的解释，又用毛巾擦了擦脸，回到自己的座位上。

“是不相信自己的太太吧？”爱美嘟囔。

“是男人太小心眼儿了。”从所长的视线中解放出来的良多神气活现地开口道，町田脸上露出了苦笑。

“说得不错，跟踪狂也都是男人。”所长应道。

“正确。”町田望着良多笑道，良多没理会町田。

“话说回来，托这些男人的福，我们才能生意兴隆。”良多说话的语气就像是在为跟踪狂辩护。町田明白个中理由，但默不作声。

“让我们感谢这个时代，男人小心眼儿的时代。”所长说，他用毛巾使劲地擦着嘴巴周围。

町田再次观察良多的反应，良多脸色阴沉地回看了一眼町田。

良多离开事务所后没有去坐电车，而是步行到阿佐谷下一站的高圆寺。高圆寺车站南口有一家房地产公司，那是良多的目的地。

这家房地产公司只是个小店铺，主要做高圆寺一带的生意。公司名称叫“大谷商事”。入口有一扇自动门，上面写着：“当地创业五十年，请把您的房地产业务放心托付给我们吧。”

良多躲在路边小酒馆旁的小胡同口向房地产公司张望。

房地产公司的移门是毛玻璃，良多看不到店里的情况。

片刻，一对貌似夫妇的男女出现了，他们看着橱窗里张贴的房地产信息商量着什么。

从店里出来一个女人。她身上穿着房地产公司不起眼的工作服，但一看便知是个绝色美女。尤其是她的一双大眼睛让人过目不忘，体形小巧，但身材姣好。

女人满面笑容地招呼那对夫妇。良多听不清他们交谈的内容，大致应该是“请进，到里面去谈吧”。

这个女人是良多的前妻白石响子，今年 35 岁，和良多相差 11 岁。

门口的年轻夫妇似乎有些犹豫，响子一直笑容可掬地招呼他们。装出来的笑容让良多不忍直视。也许是被响子的笑容打动了，男人说了些什么，走进了店内。

响子做的虽说是接待和事务性的工作，但如果在店内谈成生意的话还是有一部分的提成，佯装笑容的目的全在于此。响子的这种笑容，甚至在当初谈恋爱的时候良多都未见过。良多见到的响子总是神态冷艳。步入婚姻生活后，这种冷艳也逐渐被冷淡取代了。

良多有些忧伤地抽着烟。响子的工资并不高，两年前离婚时，换了一家工作的门店，但她在房地产这个行业中已经干了八年。两人将儿子送进幼儿园后开启了夫妻双双外出工作的家庭模式，但良多并没有认真工作。

工作了八年，并非出自响子对这份工作的热爱，只是碰巧有熟人在房地产公司工作，经人介绍入了这一行而已。也不能说响子完全没有理想，她曾经立志成为小说家。

良多在响子的大学里当过讲师，开设了一门文学创作课。响子也选了这门课。上完课，良多要求学生谈一下对自己作品的感想，响子说："看上去老师为创作费了不少功夫。"一点儿不错。将用心收集的逸闻趣事当作素材写进小说，这需要花费大量时间。对良多来说，响子的话是对自己的最高褒奖。

响子很有悟性，她用良多都无法想象的灵感写小说。较之响子的美貌，良多更是被她过人的悟性所折服。良多不顾两人之间的年龄差异，对响子发起了最为直接的攻势，甚至可以用强求来形容。这事发生在良多获得文学奖后不久，他的事业步入了一个高峰期，自信也增加了他的魅力。

何况在立志成为小说家的学生眼里，一个活生生的作家浑身自带光环也是理所当然的。两人开始交往，在响子毕业前开始了同居。

结婚、生子，响子小说家的梦想也就止步于梦想了。

她也不得不放弃原本待育儿告一个段落后边做主妇边创作的卑微愿望。为了应付窘迫的生活，她不得不外出工作。良多非但帮不上忙，反而是雪上加霜。

有朋友问两人离婚的原因是什么，响子简单明了地回答："是因为钱。"

响子的身影消失在店里后，良多也转身离开。并没有什么事要办，只是想看一看她。良多之所以选择在阿佐谷的事务所工作，也是因为响子就住在邻近的高圆寺，并在此上班。

良多从高圆寺坐电车到池袋，从池袋徒步走回公寓所在的西武池袋线上的东长崎站。由于坐的是 JR 的电车，口袋里只剩下 120 日元，而从池袋到东长崎需要 150 日元，无法坐车。

良多经常徒步回家，目的就在于省下车费。事务所有交通补贴，买一张月票便可万事大吉，可良多从没买过，全都用到了生活费上。没钱了徒步就行，这是他的想法。所以，徒步一两个小时并不算苦力活儿，尤其是对平日不运动但并不见中年发福的他来说，也许可以说是穷困带来的福音。

良多花了 35 分钟从池袋抵达公寓。进入什锦煎饼店一侧没有铺设地砖的胡同就到了居住的公寓，良多的房间在老朽的木结构公寓二楼。

从外面的楼梯一上楼就到了良多的房间。门缝中夹着一张便条。他打开便条，是住在附近的房东留下的，催良多交所欠的四个月的房租。

良多将便条塞进口袋，打开房门。

由于白天气温很高，房间里依旧暑气逼人，良多被湿气熏得皱起了眉头。房间在公寓的角落里，所以有很多窗户。

他打开所有窗户，外面的寒气扑面而来，令他喘过一口气来。

与此同时，喧闹的人声从楼下传了上来。斜对面一楼面向中庭的房间里住着一个名叫艾斯的马来西亚留学生，他时常召集一些同样来自马来西亚的朋友喝酒聚会。

艾斯发现了良多，向他挥了挥手。这是个很友善的男人，来日本三年了，日语非常流利。32 岁还在留学，应该是有钱人家的孩子，事实上良多向他借过钱，也参加过他们的聚会。

“老师，来喝一杯吧。”

至今还在称良多“老师”的仅限于住在这里的邻居。

“不了，我必须干活了。”良多做了一个写字的手势。

“日本人太勤奋了。”

“我不像你那样有人寄生活费给我。”

“对了，这个月还没收到生活费呢，所以没法借钱给老师了。”

“怎么可以这样，我都靠你了。”

“我打算休学一段时间，打工挣学费。”

一贯阳光开朗的艾斯今天显得有些阴郁。难道他家里出什么事了？可良多也帮不上忙。

良多想起一件东西。他打开提包，取出一个梨向艾斯扔去，算是借花献佛。

“闻着很香，谢谢啦！”

“别忘了，下次借钱给我。”

“没有比吃白食更贵的东西了吧？”

良多“扑哧”笑了出来，点了点头。

“啊，对了，房东找您呢。”艾斯用手指着房东家的方向。

“真的？”

“大事不妙哦！”艾斯说。

“大事不妙！大事不妙！”艾斯的三个朋友也异口同声起哄。

“别鹦鹉学舌了。”良多说着挥了挥手，进了厨房。

良多所说的干活不外乎写小说。为此他想先喝杯咖啡，可咖啡豆很久以前就用完了。

他还是先煮好开水。厨房的水池里放着几张用过的咖啡滤纸。咖啡渣可以冲三次，还能出香味，良多想。他用鼻子一张张地嗅着，尽管没到发臭的地步，但也没了咖啡味，只有一张滤纸里的咖啡渣还散发着隐隐的香味。

良多将咖啡滤纸放到杯子上，冲入热水，一丝咖啡的气息在空气中飘散。

公寓的建筑年份已经超过 50 年，租金格外便宜，每月 2.5 万日元，不用交押金。除了四张半榻榻米的房间，还带厨房，没有洗澡间，但有带抽水马桶的洗手间。

四张半榻榻米的房间脏得不堪入目。自两年前离婚搬到这里，良多没有打扫过一次房间，也几乎没有收拾过。没有冰箱也没有电视机，只有一台收音机，搬来时塞到壁橱里后就没再取出来。衣物堆成了一座小山，分不清是才换下的还是已经洗过的。一堆书用尼龙绳捆着堆在地板上。被良多睡出了身形的凹凸不平的榻榻米，成了他的“万年床[1]”，床单也已经发黄。

屋子里只有一个角落整理得井然有序，就是书架，书籍整齐地排列在上面，却是清一色相同的书，书名是《无人的餐桌》。

这是良多获得文学杂志主办的“岛尾敏雄奖”新人奖的小说。书架上还放着一排得奖时刊登该小说的文学杂志。获奖是15年前的事了，可是杂志还像新的一样。

书架上除了这本书之外，找不到署名篠田良多的其他书籍。在那之后的15年里，良多没有写过一本书。他也想写，但写不下去。

1　日语中的一种说法，指起床后从不叠被。

良多得奖后接到过一些写作的委托，但写不出来，一来二去，和出版社的联系也就逐渐中断了。

不过，良多还是和该文学奖的主办方出版社保持着偶尔的联系，仅此一家。

到了这种地步，良多还是很忙，有时和大学签约开设讲座和课程，有时被邀请到各地去进行演讲。但是，不受人关注的文学奖获奖者身上的光环并不会持续太久，况且，5 年前这个文学奖也被取消了。不过，良多还是在文化学校开设了文学讲座、创作讲座之类的课程，以此维持生计。

良多并不会教书，他自己也从没修过什么写作课程，他觉得如果不学就不会写的话那就没必要写作了。

一觉得“无聊”，停课的次数也就随之增加，听课的学生变得越来越少，良多也就自然而然地失去了工作，最后沉湎于原本就嗜好的赌博。

四年前良多自己的存款见了底，他号称为了“收集写小说的素材”而进入侦探事务所干临时工，可是工作的所有收入都变成了赌资。他开始变得很少回家,在事务所过夜的日子多了起来。他厌倦了响子冷淡的目光，偶尔回家也是为了钱。花光了夫妻共同的存款后，他将手伸向了儿子的学业保险费。

这一切败露于三年前，响子给了他一年改过自新的时间，可是良多的生活状态一如既往，反而在赌博的泥潭里越陷越深。

可以说是良多自己抛弃了亲人。

良多端着咖啡坐到写字台前。写字台上杂乱无章地堆放着来路不明的发黄纸张，还有尚未读完的书籍和词典。最显眼的是贴在墙上的颜色五花八门的贴纸，有一百张以上。其中有些贴纸已经严重褪色。虽然创作停止了 15 年，可在这 15 年中良多也试图进行过创作。

至少，他有过创作的冲动。良多取出手账，提起钢笔，打算将今天记下的句子写到贴纸上，但又立刻停了下来。

他把提包拉到身边，从里面取出彩票。这些彩票是在母亲家中发现后带回来的。良多用手机给彩票中心打电话一一确认中奖号码，费了不少时间，结果一张未中。

父亲一定确认过了。他为什么还要留着彩票呢？难道打算和雪舟的立轴一样“二次收钱”？想到此，良多竟不寒而栗起来。在立川的咖啡馆里索取的那笔钱是名副其实的“二次收钱”。“别把我和老爸想的一样坏。”良多喃喃自语着为香烟点上火。他在手上摆弄了片刻彩票，露出愤怒的神色，用烟头上的火将彩票付之一炬。

良多重新取出手账，在贴纸上写了起来。今天最重要的一个句子是“造什么孽了？我的人生”。这是在立川的咖啡馆里听到的句子，但良多没有写下未来说这句话时的背景。这些贴纸是良多的希望。所有贴纸不断混合在一起，逐渐膨胀成巨大的东西，当某天将它们编织成一部巨著时，活生生的现实一定隐藏在它们中间。用现实打造的小说必定打动人心。仅仅停留在良多想象中的故事，和孩子们的怪兽游戏毫无二致。

良多将贴纸贴到墙上后，坐到了稿纸前。脑子里没有一丁点故事开始萌动的迹象。他只是无聊地在稿纸上写下了“雪舟”二字。

海よりもまだ深く

3

第二天一大早，良多从他的万年床上醒来，身体僵硬。有人在敲房门。他环顾四周想找个地方躲起来，但身体无法动弹。房门边的毛玻璃上映出了一个身影，是个男人。那人向屋子里张望，又敲了敲房门。

良多觉得自己要死了。是房东？

“良多先生，我是町田。”

良多安下心来，长吁一声。他打开房门。

“早上好。”町田笑容可掬地开口道。今天他没穿西服，而是牛仔裤加夹克衫的轻装打扮。

“拜托，你不会自报家门啊。吓死人了。”良多骂道。

町田一动不动地站着反问 :

“您以为又是哪里来的要债鬼？电费、煤气费？”

“哪里……我也搞不清哪儿跟哪儿。”良多可怜兮兮的语气让町田不禁大笑。

良多也情不自禁地笑了起来。

良多开始换衣服，身后写字台的稿纸上除了“雪舟”二字什么也没有，昨晚他依然毫无进展。

多摩川河岸开阔地的棒球场上聚集了众多孩子和他们的家长。台风临近使得气温升高，但凉爽的河风吹过河岸，让人感受到秋天的气息。

河堤上响子坐在一排排的家长中间。阳光十分强烈，她打着太阳伞。她着装随意，蓝色衬衣和全棉的长裤。响子身边坐着一个人高马大的男人。男人比良多略矮一些，身材健硕，加上脸部轮廓分明，浓眉大眼，让人感觉很有威严。

他是响子的恋人福住馨。

最近，比赛中要求家长噤声已经成了不成文的规矩，即使孩子打出好球也只能掌声鼓励，为对方团队喝倒彩更属于违规行为。

可是福住却在不断高声喝倒彩，对自己这一方选手的失误他也会大声呵斥“你给我认真点儿”。周围的家长不时用指责的眼神看他，他也毫不介意，反而更加大声。

坐在身边的响子有几次想阻止福住，但每次都被福住的几句玩笑话挡了回去，她始终满脸微笑。

由于阳光强烈，开车来的家长在桥下把车停成了一排，山边侦探事务所的车也混杂其中。良多和町田坐在车里，町田举着望远镜专注地看着比赛。

“那个投手，投了一个好球。”

良多也在一边举着望远镜片刻不离地注视着福住和响子，嘴上不停地嘟囔“为啥是这个男人”。良多郁闷不已，对第一次见到的男人从相貌到举止一肚子的不满，挑剔到让人厌烦的程度。良多一个月前知道了前妻有男友这件事，是儿子真悟不小心说漏了嘴。

町田放下望远镜，看着对福住的调查结果。

也就是说良多在监视前妻的行动，说得极端一点就是跟踪狂。町田在良多的苦苦哀求下决定出手帮忙。

“不是才开始交往吗？两人一起来看孩子的棒球赛不觉得太快了点儿吗？”

町田听良多这么说，点了点头，又看调查报告。这天是周三，正值秋分放假。町田推测，福住和响子都在房地产公司工作，周三是房地产行业的定休日，所以两人选了这个日子来看比赛。可是良多的儿子真悟没有准备出场比赛的任何动静。真悟穿着 17 号球衣，坐在场边的凳子上当替补。

町田再次将视线落在调查报告上。他用很低廉的价格委托熟悉的侦探事务所对福住进行了调查。

“据说是从去年秋天开始交往的，已经一年了，不是才开始。”

良多没有回答，他目不转睛地盯着福住。

此时，真悟向击球员区走去。町田提醒良多，告诉他真悟要击球了，良多还是没有回答。

身着崭新球衣的真悟站在击球区。他瘦小的身材、可爱的神情，看上去小于五年级这个年龄。

“真悟！真悟！加油！”福住高喊着。

真悟面带羞涩地回头看了一眼福住，马上转过脸去面向投手。

“对别人的孩子直呼其名……”良多又开始发火。

“山内房地产是个大公司吧？”町田看着调查报告说。

调查报告似乎没有涉及响子和福住是怎么认识的。仅仅支付了一点低廉的调查费，所以也没办法挑剔。

两人都在房地产行业，很容易想象两人彼此的共同点。福住38岁，单身，没有婚史，住在中野站附近的商品房大楼里，一定身家不菲。

町田用望远镜又看了一下福住，他穿着很随意但看上去很高档的便装。

“哇，年收入1500万日元！”町田吃惊道。

“无非是靠厚颜无耻的强拆赚到的钱吧。把自己的幸福建立在别人的痛苦之上。”良多咬牙切齿地说。

“强拆”这种词早就灭绝了，把“别人的痛苦”变成自己的赌资，良多不过是五十步笑百步，町田真想这么告诉他，但只是苦笑了一下。

“怎么了？”良多不高兴地瞥了町田一眼。他完全没有察觉自己说的话等于骂了自己。

真悟漏击了一球，被对手投出了好球，可他根本没有击球的意思。

“击中！击中！投手在发抖呢！”福住又高叫了起来。

听着福住的叫声，良多愤怒得脸都扭曲了。

“他们已经……那什么了吗？”他问町田。

町田装着全神贯注地看球。

“你说，他们那个……那什么了吗？”良多再次问道。

町田将调查报告递给良多，岔开话题：

“这个高中棒球部很厉害。上高中时，我们因为中止比赛输了球。”

那是个名牌私立大学的附属高中，参加过甲子园的比赛，福住曾经是该高中的棒球队队员。后来他直升那所大学，毕业后去了山内房地产公司工作。

良多似乎不想再问了，又举起望远镜观望。

单身成年男女交往已有一年多时间了，不可能没有性生活，町田想。

如果回答“嗯”的话,他就会不断被追问“为什么”“在哪里”等自己无法回答上来的问题，最后还会被毫无由来地痛骂一顿，所以町田不想回答这个问题。

真悟三球三振出局，看上去他压根儿不想挥棒。

“必须挥棒，快挥棒啊！”福住又对真悟大叫道。

“Don’t mind! Don’t mind!”响子帮腔道。真悟的表情没有丝毫变化，直接跑去防守。

“混账，那小子瞄准了四坏球！”町田望着说这话的良多，脑子里闪出了“操心爹娘”这个词。

“怎么搞的？！”良多又激动起来，心气极为不顺。

“对了，买棒球手套了吧？”町田望着跑向右外野手的真悟说道。

良多“嗯”了一声，将望远镜聚焦在真悟的手套上。

“是美津浓。”良多用痛苦呻吟般的语调说着，叹了一口气。

町田差点大笑起来，但他还是忍住了。

美津浓的手套没有大显身手，球并没有飞到守候在右外野手的真悟身边。比赛结束了，真悟的球队以大比分输掉了比赛。

比赛结束后，响子和真悟上了福住的车，一辆七人座的面包车。

町田开车尾随在福住的车后面，良多坐在副驾驶座上瞪大眼睛紧盯着那辆黑色面包车。

福住的面包车向后乐园方向驶去。不久，面包车停在了东京巨蛋的体育场馆前，那里面有高尔夫球练习馆、棒球击球场和徒手攀岩练习馆。

地下有一个大型停车库，町田等了片刻才将车开下去。30 分钟 400 日元的停车费堪称高价。町田指了指金额，良多只是笑了一下，他显然没有付停车费的打算，町田叹着气停下车。

他们躲在车里监视。

响子和真悟走在福田身后。

“我去去就来。”町田下车尾随而去。

搞清了福住等人的行踪后，町田立刻返回到自己的车里。

“他们进了击球场，好像要指导真悟君。”

良多双眉颦蹙。他一定不想让别的男人教训自己的儿子，町田想。

心情郁闷的良多终于露出了笑容。真悟不想站到击球区。福住费力地说服真悟练习击球，真悟置之不理。为了缓和尴尬的气氛，响子拿起球棒，“我来吧！”她说着向击球区走去。

良多和町田走到击球区最边上的三振区，佯装投球观察着响子等人的动静。

“我击球喽！”响子搞怪似的高喊道，击中球时她又用少女般的声调“啊”地大叫。

“行了，我来给你们做个示范。看好了，用腰部发力，腰部。”福住说着将脱下的外套交给响子，走进击球区。

响子仔细折叠福住的外套，动作既认真又温柔。

第一棒，响起了清脆的撞击声，福住让球反弹了起来。

“好棒！”响子尖叫，真悟也瞪大眼睛。

接着又一球，球棒击到球上，发出巨大声响。

响子又发出“好棒”的赞扬声。

良多始终一言不发地注视着这样的响子和经她手折叠好的福住的外套。

响子等人去了濒临海湾的酒店。经町田确认他们进了高级的法式餐厅。

“那家餐厅的正餐，听说每人至少 1.5 万日元。”町田笑道。

“住嘴。”良多瞪了町田一眼。他吩咐町田去便利店买饭团充当晚饭，当然他并没有自己掏腰包的意思。

“是是。”町田去了便利店。

站在靠东京湾一侧的餐厅露台上可以欣赏美丽的夜景。虽然那只不过是由万家灯火营造出来的氛围，但与隐隐飘散在空气中的海潮气息交织在一起能让人产生别样的心情。

海风吹在响子的脸上，她心情十分舒畅。福住的脑子似乎还没从棒球中走出来，他不停地给真悟灌输自己的棒球“心得”，响子有些后悔把福住赞过头了。

福住是个实诚人，受到称赞会喜形于色，受到批评也会收敛，有时兴奋过头了，也会变得喋喋不休。这会儿他的说教对象是真悟。

“放弃替补上场的机会是最可惜的。人生也是同样道理，必须去一争高低。”

不管福住说得多么兴致勃勃，真悟始终面无表情地沉默着。

“下次一定要加油啊！”左右为难的响子插嘴道，她想缓和一下气氛。

“可是，我的目标是四坏球。”

这话有些意外，响子吃了一惊。“什么？”福住高声道。

“就算四坏球上一垒也成不了英雄。”

真悟没看福住一眼，“成不了英雄也没关系。”他回答，听上去并不像赌气，而是很认真的语气。

店员走了过来。

“餐前准备工作已经就绪，请各位入座。”

餐厅里几乎满座，果然是高人气酒店。福住预约的餐位靠窗，视野极其开阔。

“真悟心目中的英雄是什么样的？就是你崇拜的人……”福住不厌其烦地追问。

响子开始担心，但她清楚，福住特别想和真悟交流。

真悟只是面无表情地回答：“我奶奶。”

“嗯？你要参加升学考试，不能回答自己的家人。我说的是你崇拜的人。”福住又重复了一遍。

真悟既没参加过“升学考试”，也没想过考中学的事，响子不明白福住为什么这么说。“哦，是这样啊。”她只能敷衍一句。

真悟没有在椅子上坐下，从餐桌边走过。

“去洗手间？”响子问。

“嗯。”真悟依然故我地走着。

“没问题吧？”福住也对真悟招呼道，显然有些殷勤。

“没问题。”真悟头也不回地径直向洗手间走去。

真悟的身影消失后，福住开口道：

“经常去奶奶家吗？”

他装得很不刻意地问，可语气却是盘根问底。

“嗯，偶尔去去……”

响子竭力回避谈论和良多有关的话题。

“还是不见不行吗？”

“也不是不见不行，只是真悟想奶奶。”

响子也不清楚为什么自己的语气像在辩解。

“我并不想阻止。你从小就失去了母亲……”

“谢谢。奶奶和我母亲完全是两种性格……”

响子含糊其词道。

“不管奶奶怎么样，和你离婚的丈夫已经没关系了吧？”福住追问。

响子十分清楚地告诉过福住，自己和良多没有任何瓜葛。其实福住担心的是真悟。

“是啊。”响子嘴上应承道，内心却有些踟蹰。

如果对福住做出了保证，就意味着不准真悟再见父亲。假如真的这么做了，也许会让真悟产生逆反心理反而和父亲走得更近，对此响子犹疑不定。

福住的眼神变得犀利起来。

“我觉得对真悟也不好。对不起，我这么说……该怎么说呢，和那种没有社会价值的男人来往。”

响子也明白了刚才突然冒出来的升学话题，福住一定在脑子里勾画了一幅将真悟当成自己孩子来培养时的愿景。福住进了名牌私立小学后，就像坐上了直升电梯那样一路畅通地升入大学，恐怕福住也想让真悟按他的轨迹成长。

“嗯，不过……”响子有些迟疑。

沉默不语的福住两眼直视响子，他在敦促响子下决心。

“不过，他原来也是个小说家，现在是有些那什么……”

“我读过那部得奖作品，在亚马逊上买的。”

响子很意外。在福住的住处没见过一本小说，尽是些开发商业大脑的读物。

“怎么样？”

“不能说是浪费时间，但我不知道他想表达什么。”

响子不知该怎么回答。小说用真实的语言构筑起人物的情感交流，从中释放出人性的冥顽、残酷、善良，还有微弱的希望，这是响子一直以来最为欣赏的。响子喜欢良多写的那个故事，有一段时间她梦想自己有一天也能创作小说。尽管良多在生活上缺乏责任感，但他的《无人的餐桌》却是响子追求的目标之一。她无法赞同福住的“不知道他想表达什么”的看法。

为了不让心情受影响，也为了不被福住误会成嘲笑他，响子只好闪烁其词地回应：“也许是吧。”

大概福住以为响子赞同自己的观点：“你也这么想吧？果然是这样。”他说着笑了起来。

一走出餐厅便是酒店的洗手间，那是酒店内的公用设施。真悟走进宽敞的洗手间，没有其他人。

他开始小便，感觉身后有人靠近。那个人影在真悟身边站定，并且注视着他的胯部。

“哦，又大了不少。”

是良多！真悟吃惊地叫了起来，转而面无表情地注视着良多。

“你在干吗？”

“不管是不是生活在一起，爸爸一直守候在你身边。”

“那是跟踪狂魔。”

“怎么是跟踪狂魔，没这么说自己亲爸的。”

真悟沉默不语。

“那是妈妈的男朋友？”

“嗯。”

“人怎么样？”

真悟思考了片刻，“大嗓门儿。”他答道。

“唉，那么没教养。”

得到父亲的理解真悟似乎很高兴，使劲点了点头。

“妈妈说要结婚吗？”

“不知道。”

“你打听一下。”

“嗯，”真悟拉上拉链应道，“我走了。”他告辞。

“哦，周日见啊。”良多声势十足地回答。

真悟在水池前草草洗了手，向餐厅走去。

他又立刻快步折了回来。

“钱，没问题吧？”

儿子从响子那里听到的净是钱的事吧，良多想。以前响子从不当着真悟的面谈钱，可自从她下定离婚的决心后就变得毫无顾忌起来。这也在情理之中，自己也经常拿真悟作借口回避谈钱的话题。

“一点问题都没有，不用担心。”

真悟露出淡淡的笑容，回餐厅去了。他的笑容中带着大人气，似乎隐藏着某种无奈。这种笑容留在良多的脑海里久久挥之不去。

响子和真悟的住处距离高圆寺站徒步要 20 多分钟。这栋小公寓虽说不是木结构的建筑，但也有超过 30 年的房龄了。他们的房间就在从外墙楼梯上到二楼的拐角处，租金十分便宜，每月 5 万日元，有浴室、厨卫和两间卧室。离婚后，因工作上的往来而逐渐成为朋友的房东直接将房屋租给了响子。

尽管如此，仅靠响子一个人的收入维持生计还是十分困难。

“头，他在摸真悟的头！”良多坐在车上愤然道。车停在一个隐蔽的角落里，良多观望着响子等人的动静。福住的面包车停在公寓前，他正在与真悟和响子道别。

在抵达此地的一路上，良多一刻不停地抱怨“不会住下吧”“这么晚了干吗带着小学生到处乱跑,打棒球很累了呀”……

“快让他们进去！”良多无休止地絮叨。

终于，福住上了面包车，响子和真悟走上了公寓的楼梯。

良多长叹了一声。

“还是眼不见为净好吧？情敌！”

町田这么一说，良多又叹了一口气。

第二天一早，良多接到一个让他喜出望外的电话。曾经在文学杂志社工作的现任漫画杂志编辑的三好来电话说有工作上的事商量，想见一下良多。

良多向事务所请了假，穿上自己最满意的西服赶往出版社。

他倏地回过神来，没钱，口袋里只剩下 120 日元。

他在上衣口袋和裤子口袋逐一摸了一遍，除了两枚 100 日元和两枚 10 日元硬币外，又找到了几枚 5 日元和 1 日元硬币，加起来不过 200 多日元。去出版社的路费够了，但不够回程。

良多蓦地想起，为了以防万一，自己将一张 1000 日元的纸币折成小方块塞进了一个小钥匙包里。离婚后只剩下一把钥匙，就没有再用那个钥匙包，一直在写字台上放着。他赶紧打开钥匙包，1000 日元纸币还在里面。他做了个拜佛的手势，挤开钥匙包的小口。

徒步至池袋后坐电车，160 日元便能富富有余地抵达代代木。

良多放心地走出家门。

良多比约定的 11 点提前了 10 分钟抵达漫画编辑部。三好正巧有其他接待，良多被安排在编辑部的空座上等候，没有人将他带到接待室。年轻职员端来一杯咖啡，良多一饮而尽。不用说，比用咖啡渣制作的咖啡好喝多了。他想再来一杯，但编辑部里的人看上去都在忙着，没人留意他。

良多无所事事地坐着，开始不自在起来。时针已经滑过 11 点 10 分了。没有作品的作家只能享受这种待遇，他正这么想着，“篠田先生”——三好露面了。

“对不起，劳您大驾，让您等这么久。”三好将邻座的椅子拉到跟前坐下。

“哪里哪里，我也刚到。”良多说。

“之前多谢了，我一点忙都没帮上，反倒让你破费……”良多继续道。

三好是十足的小说迷。他与良多年纪相仿，文学上也趣味相投。在文学杂志社工作的那段时间，加上同年代的编辑笹部，三人没少一起到处泡酒馆。

良多不写小说后两人的关系就逐渐疏远了。不过，三好还是经常邀请良多，请他吃饭。当然，良多已经不再是被社会所公认的作家，三好没有理由用公款招待他，费用都出自三好的私人口袋。

“那家店不行吧，没有消化不良？”

三好已经是漫画编辑部的部长了，但还是无法自己掏钱请良多去高级餐厅。

“没有没有，非常可口。”

良多很久没吃烤肉了，即使是大众化的餐厅，对他来说不会有不合口味的问题，也不会消化不良。饥饿的身体会将食物吸收得一干二净。

“其实，蓧田先生，我想您会不会对创作漫画脚本感兴趣……”

“漫画……”良多皱起了眉头。

“是的，最近关注度直线上升的漫画家石岛哲治要在我社的《漫画拳》上连载赌博主题的漫画，我在找熟悉这方面的人，蓧田先生您……”

“熟悉倒是熟悉……”良多舌头变得不利索起来。

“怎么样，想不想挑战一下新的领域？您就当是个副业。”

“当副业吗……”

“是啊，给的稿酬还是很不错的。”

三好了解良多的经济状况。良多也很清楚，三好为了不伤自己的面子说话比较含蓄。

三好将办公桌上事先准备好的四册单行本漫画放在良多面前。这是一套以棒球为主题的漫画，封面上画着一个大眼睛、身材纤细的少年正在投球的姿态。

良多拿起杂志随意翻了翻，无非就是那种几眼就能猜到的平庸故事。看了一下封面，只署着石岛一个人的名字。是他江郎才尽，来求脚本吗？

“会署作者的名字吧？”

三好看了一眼良多，似乎没听明白良多的问题，不过他马上掩饰了过去。他很惊讶，良多还那么关注自己的“名声”。原本也不是因为“蓧田良多”这个名字有商业价值而要将他署名为原创者，但三好不想伤及良多的自尊心。

“不不，署笔名也没关系，不会给您的职业经历造成影响……”

良多的目光又回到杂志上。

“不过，我现在手头上正好有一本急着收尾的小说。这事儿你没从文学杂志社的笹部那儿听说吗？”

良多也不明白自己为什么这么说。笹部口头委托良多创作小说已经是十多年前的事了。自那时起良多再没有写过小说，哪怕在某个酒会上遇到良多，笹部也不再提这个话题。其实根本谈不上交稿，连一个字都还没写。

为漫画创作写脚本，这对良多的自尊心的确是一种伤害。他满脑子是小说的约稿，所以匆匆赶到出版社。可是，谁都无法在什么都不写的15年中一直保持“小说家的自尊心”，恐怕有的也只是对过去荣誉的一点执念罢了。

“哦，是吗？其实我更想读您的小说，远远超过漫画。”三好立刻打起了退堂鼓。

良多目不转睛地凝视着漫画，脑子里在和对过去的执念进行着较量。

口袋里装着1000日元的纸币，良多心里稍微有了些底气。一个念头不时在他脑海里转着。这张1000日元的纸币该怎么花才最有效？他首先想到了柏青哥。只有1000日元还是难以安心。是去新桥，还是后乐园？

良多取出手机，发了一封手机邮件，然后向车站走去。他手提着装着漫画杂志的纸袋，最终还是借走了漫画。“我看一下吧。”他摆出一个垂死挣扎的姿势。“请您务必考虑一下。”三好鞠了一躬。

对于赌博的话题用不着取材，良多脑子里装满了故事。完成这项工作后，多少也能弥补赌博输出去的那些损失。漫画一旦畅销，销售量远不是纯文字作品可以同日而语的。

话说回来，眼下必须采取万无一失的手段，设法搞到和儿子共度周日的资金。

良多从代代木站出发后转了三趟JR电车，在东所泽的车站下了车。从东所泽徒步25分钟，他抵达了日式点心店“新杵”。

这是家创业历史超过 100 年的老字号。昭和六十三年[1]总店迁移到清濑这个地方，便在此地扎了根。

良多的姐姐千奈津在“新杵”打零工，干售货员的工作，短信就是发给她的。手机邮件上说:“我现在过去,能借我点钱吗？”没有收到千奈津的回复。

“我到了。”良多在“新杵”店门口再次发了一封手机邮件。

不见有人出来，良多推门走进店铺。千奈津发现了良多，头上戴着三角巾走出柜台,狠狠瞪了他一眼,用眼神示意他出去。

千奈津显然窝着一肚子火，快步走在前头，把良多带到点心店边上不太引人注目的角落。

“我说过不要来店里。”千奈津开口道。良多不止一次出现在这里。

“我知道，我是来求救的。”

“你不是一直都在求救吗，你有不需要救的时候吗？”

1 公历 1988 年。

姐姐继承了母亲的毒舌基因，说话的刻薄程度也十分相似。

“这次看上去能写出来，好久没这么有灵感了。侦探的工作也在考虑差不多那什么了……”

千奈津举手打断良多。

“你要再把我家的事写进你书里，别怪我不客气。”千奈津脸色铁青，她真的动气了。

《无人的餐桌》得奖时千奈津也替他高兴。她让良多给自己寄书，良多犹豫了。结果，好像千奈津自己买了一本，几天后良多被痛骂了一顿。

书中写了许多发生在家里的故事。特别是千奈津回娘家嘀咕的那些婆媳之间的矛盾，几乎原封不动地搬进了小说。因此，良多得奖一事始终瞒着千奈津的婆家——中岛家。幸好中岛的父母都是从不跑书店的人，两家才得以相安无事。在中岛家，良多的职业被介绍成从自由职业者转型为侦探。

倘若小说一事败露的话，就会酿成大事。

“我有言论自由吧？”良多反驳。

的确，自己将发生在家庭内部的大量事情用作了素材，可那是要经过加工、设计情节后才能完成的小说创作，是一项难度极大的工作，不然就成了家长里短的坊间传说了。

“你侵犯了我的隐私。”

千奈津反击成功，良多安静了下来。

“我把话说在前头，家人的回忆，不光属于你一个人。”千奈津随即又补充了一句。

这也让良多无言以对。不过，这句话倒是难得的金句，一会儿把它记下来，良多没心没肺地想。

“家人的回忆，不光属于你一个人。”

“这次要写什么？”千奈津问。

“怎么说呢……加拿大有条法律，规定亲生母亲在孩子被人收养后的六周内有反悔的权利。收养孩子的夫妇要在这六周一直过着提心吊胆的生活。就写这样的故事，现在……”

“这个故事和侦探有什么关系？”

对千奈津的提问良多只是轻轻“嗯”了一声。

“你也该死心了吧？得岛田绅助奖都过了 15 年了。”

“你是故意气我吗？是岛尾敏雄奖。只有一个岛字说对了。”

“如果是芥川奖的话，我肯定不会说错。”

千奈津揶揄道，良多无法辩驳。

千奈津又追问：

“明明没钱，还要给什么零花钱？”

突如其来的问题，良多一时语塞。

“老妈兴奋地打电话告诉我的，现在你又来问我借钱，不觉得可笑吗？”

“不不，是不想让老妈为钱的事担心我，过去老爸又那样……”

千奈津目光冷冰冰地注视着良多，打断他的话：

“老爸也来过这儿，去世的一个月前。也站在你那个位置，和你一样说，‘借点钱给我吧’。”

良多再次无言以对。

“不觉得羞耻吗？你也不喜欢和老爸相提并论吧？”

“不喜欢，可我和老爸的情况不同……”

“一样。你和老爸干的事一模一样。”

良多低头看着地面沉默不语。

“老爸要是好好工作的话，老妈不早就搬出小区了吗？”千奈津说教似的言道。

“说的是啊。他说过要在目黑一带造一栋大房子。”

千奈津和良多的父亲在一家大型家电公司旗下的通信器械制造公司工作。他不但具备专业级的制药手艺，又有通信和化学方面的知识，好像经常出入研究机构。良多去父亲单位玩的时候，看见他经常穿着不同的工装，有时是白大褂，有时是作业服。

精通多项技能的父亲，对公司来说也应该算是一宝。父亲也十分清楚这一点,所以经常无故缺勤。他很自信不会被公司解雇。一挨过发工资的日子，他便消失得无影无踪，有家不回，自然也不去公司上班。

如果说这一期间他都干了些什么，无非是赌赛马、赌自行车赛、赌赛艇、赌赛车……游走于以东京为轴心的遍布于关东圈内的赌场。花完工资后他便向别人借钱。偶尔赌博赢了钱，也都在吃、喝、嫖上花得一干二净，或去下更大的赌注。虽然谈不上月月如此，但全家的日子过得捉襟见肘。

既然被公司当作人才，如果勤奋工作的话，未尝没有加工资和升职的机会，但没有哪家公司会厚待时不时人间蒸发的员工。当公司发现父亲得了慢性病、膝盖的病症恶化连走路都变得困难后，便毫不犹豫解雇了他。

从那以后,父亲也没有改掉赌博的恶习。他拖着疼痛的双腿，出没于离家不远的柏青哥。即便开始依靠养老金生活，他还是一如既往地将几乎所有收入都投入了赌场。

家里有一位这样的父亲，良多还能升学进入大学，全仰仗能干的母亲。良多姐弟长大后，每到发工资的日子，母亲便捷足先登去公司领走父亲的工资，将那些钱紧紧攥在手里。

但是父亲却总能找到藏钱的地方，这种事情周而复始地发生。

“你还记得吗，住在练马的时候，老妈把存折和图章用长筒袜卷起来，藏在米缸底下。”

“啊，记得，可还是被老爸找到了。老妈发现撒在厨房地上的大米，一脸惊恐。”

自那以后母亲扔掉了米缸，似乎米缸才是万恶的根源。

“扔掉米缸后，存折藏哪儿了？”

千奈津一脸诧异地注视着良多。

“你不知道？不是藏在小柜子里吗？壁橱上面的小柜子。说是老爸腿疼，高的地方爬不上去。”

“啊，是这样啊。”自己只在壁橱里找了一下就放弃了，想得太简单了。只能怨自己干什么都这样，所以老是功亏一篑。

“你什么意思？”千奈津问。

良多意识到不能再深究下去，立刻转移了话题：

“老妈在听古典乐呢。”

“是和附近的老伯一起吧，两人关系好着呢。听说老伯当过中学老师。”

“他们在交往？”

“什么？不可能吧？”

“这个不好说。我查一下，给我调查费。”良多伸出手来。

千奈津在良多的手掌上狠狠拍了一下。

淑子和另外六个女人聚集在旭之丘小区的2-2-6号楼里的仁井家。原本榻榻米的起居室铺上了地毯，改成了西式房间。钢琴上放着一座仁井田指导中学合唱队获得的奖杯。

沙发坐不下，从厨房里又搬来了三把椅子。

钢琴边上放着一台老式的但很有型的立体声组合音响。这套音响带有CD播放功能，但在仁井田的收藏中更多的是唱片，最难得的是仁井田家里还有一台大型黑胶唱片机。

唱机正放着之前预告过的贝多芬弦乐四重奏第14号升c小调作品131号，淑子听得十分入神。曲子的演奏时间是38分钟，知识渊博的仁井田不时地让唱机停下为大家讲解。听完整个曲目花了将近一个小时。

“在贝多芬的作品中这也是一部得意之作。据说舒伯特听了这部作品后也犯难了，他说：‘以后我们还怎么作曲呢？’”

话音刚落，坐在前面沙发上的老森对身边的市村说：“在电影里看到过这个情节……”

“是的，有这个情节。”市村附和道。

“是前不久去世的霍夫曼主演的片子。”老森将脸转向仁井田。

“霍夫曼？”仁井田好像没听明白。

“那人还出演了《捕鹿人》。”老森又说了一部电影片名。

“《捕鹿人》？嗯嗯，我不看最近的电影。”仁井田一脸困惑的表情。

老森和市村说的是由英年早逝的菲利普·塞默·霍夫曼主演的美国影片《晚期四重奏》，合演的是在《猎鹿人》而不是《捕鹿人》中担纲主演的克里斯托弗·沃肯。这部影片颇有人情味，叙述了弦乐四重奏组合中四个成员之间的矛盾纠葛，虽然没有引起轰动，但也被公认为名作。

老森和市村不但很懂音乐，而且熟悉电影，她俩都属于“商品房族”的成员。

不知什么缘故，最前排的沙发座每次都自然而然地被商品房族成员占领，因此他们掌握着话题的主导权，这让淑子不悦，现在话题偏离了音乐更让她不满。淑子打算还以颜色，她要炫耀一下自己的学识，那是她从写在CD封套上的说明文字中看来的。

“老师，这是贝多芬去世前一年的作品吧？”

仁井田露出了心领神会的笑容。

“不错，那时他56岁，今天来看的话刚好是和我们年龄不相上下的老人。”

仁井田说着，一个身着运动服的40来岁的女人从起居室的一侧经过，走进洗手间。

从她的表情上可以看出，她对在此搞沙龙感到不快。

“老师的千金。”身边“租赁房族”成员之一的古典音乐爱好者长冈对淑子耳语。

“啊啊，拉小提琴的。”

“好像已经辞职了。”

也就是说，她现在没有工作、独身、赋闲在家，那一定很忌讳别人的目光。

仁井田瞅了女儿一眼，立刻移开了视线，他继续说：

“创作这个曲子时，贝多芬给朋友写信说：‘我的创造力和过去没有区别。’我们不也一样吗？距离老年还远着呢！”

“就是啊！”有人应声道。

“电视里有这样的音乐节目就好了。”说这话的是手代木。她也是“商品房族”的一员。

“一点儿不错。”“商品房族”的人附和着。“租赁房族”的淑子和长冈插不上话。

“说起来也是，我年轻时电视台邀请我做这样的节目，在3频道。”

仁井田所说的是NHK教育台。当时仁井田接受了电视台采访他所指导的合唱队的邀请，但计划最后还是泡汤了。旧事重提，难免“添油加醋”。

“我觉得那样做是对音乐之神的冒犯，所以拒绝了。”仁井田继续添油加醋。

“太可惜了。”有人说。

“不过，因为那样老师才被我们独占了，多幸福啊！”听了老森的话，大家笑了起来。

仁井田笑得很开心。洗手间传来冲水声,仁井田收起了笑容。

家境富裕的“商品房族”，也有自己的烦恼，淑子想。

“我们在这里聚会，谁有个身体不舒服大家都能知道，多好！”长冈说。

“这话说得对,不然一个人死在家里都没人发现。”市村说着，身体缩了一下。

“租赁房倒没什么关系，商品房一旦发生这样的事，资产价值就会下降……”手代木说。

手代木清楚淑子和长冈都住的是租赁房，说话却一点儿没有顾忌。邀请长冈和淑子来参加活动的沙龙发起人老森，一脸抱歉地望着淑子等人。

淑子笑了一下回应。

淑子和长冈一起回租赁房楼栋，其余五人向商品房楼栋方向走去。

挥之不去的自卑感，已经成了淑子身体里的一部分。

淑子回家后做了两个“冰块”。她将可尔必思和水倒进杯子后放入冰箱。和良多一起吃掉的是剩下的最后两个，良多边数落母亲边开心地将冰块吃得一干二净。还会有暑热的日子吧，淑子想。她要为下次不知何时才能露面的儿子准备好冰块。

淑子将水灌进塑料瓶里，走进阳台，为花盆浇水。她小心翼翼地在橘树上洒了水。

她凝神注视了一会儿橘树，然后抓着阳台的栏杆向远处眺望。周边一带还残存着些许杂木林，天色蓝得有点晃眼。

淑子目不转睛地望着远方，她在等待那只蓝色花纹的大蝴蝶飞来。

海よりもまだ深く

总算从千奈津那里借到了 3000 日元，良多赶去事务所上班，他必须写完报告。

良多以最快速度写好报告，开始看从三好那里借来的漫画。不出所料，通篇是司空见惯的人物设定、毫无现实感的比赛进程、天真幼稚的恋爱情节。尽管读得有些厌烦，但良多也不禁想，假如自己掌握主动权的话，没准能写出一个有厚重感的故事。也许因为《漫画拳》是年轻人的杂志，才允许有这样的风格。

所长和町田正在接待客户。好像是分手后的前妻有了新男友，前夫觉得那个新男友太不靠谱，所以来委托调查前妻新男友的品行。

“那样的男人不可能带给纪子幸福，拜托你们了。”

男子哭丧着脸，和所长、町田一一握手后离开了。

“町田，这个案子我看由你一个人负责吧。”

“好！”町田回答得很干脆。这是入职三年后的第一次独立行动。

“加油啊，年轻人！”良多调侃道。

“只是简单的品行调查。好吧，视情况而定，我让爱美配合你。”所长话音刚落，町田一脸兴奋地回答“太好了”。

町田几次借机表达对爱美的好感，但爱美根本不理会。

爱美收拾着咖啡杯，嘴上数落着新委托人“已经离婚了，管人家和谁交往，犯不着为未来吃醋”。

“这里还有一位呢。”所长指了指良多。

“不对不对，我不是吃醋。”良多否认。

“不是吃醋，那是什么？”爱美一本正经地问。

良多沉思了片刻，“算是，责任感吧？”他好不容易憋出一句话，听上去十分不自信。

“只是余情未了吧？”町田揶揄道。

“我说，小子，你懂什么是余情未了吗？”良多岔开话题反问。

“当然知道。”

“好啊，你写汉字给我看。”两人的话题越扯越远。

町田用手指在空中比画了几下。

“笨蛋，少了一横。”良多说着，心情舒畅多了。

“男人啊……”所长边点烟边开口道。

“只有失去了才明白什么是爱。蓧田现在每天抱着老婆的照片睡觉呢吧。”所长模仿抱照片睡觉的样子，脸上露出哭丧的表情。

“所长也肯定抱着老婆的照片睡觉，而且是两张。”爱美马上嘲笑道。

所长是离过两次婚的男人，现在独身。

“我好想和爱美酱睡觉。”所长反击，爱美不再搭理。

看着大家开心地开着玩笑，良多陷入了沉思。

第二天一大早，良多和町田开始了贴小广告的工作。为了寻找走失的小猫，他们要在南阿佐之谷一带的小巷子里贴两百多张寻猫启事，并要在野猫经常聚集的地方蹲点。对于寻猫这个工作而言，与其四处寻找不如贴告示的方式来得更加行之有效。

町田骑在折叠式小自行车上，小广告放在前面的车篮子里。走在町田身边的良多浑身粘满胶带。町田将小广告往电线杆上一按，良多便用胶带固定。

“哪有心思找小猫啊！”良多嘟囔。

从一大早起，良多就一直对町田絮叨着前妻和儿子真悟还有大声说话的粗鲁男人的事情。

“这就是余情未了。”町田几次讥笑他，良多还是喋喋不休。

“您那么爱家人吗？”町田问。

“这不是当然的吗？！”良多愤然。

“可是，离婚前从没听你说起家人的事啊。”

町田三年前刚进事务所的那会儿甚至以为良多是独身。他总是在为钱的事犯愁，在事务所里过夜也是家常便饭。

“怎么可能？”良多说，听上去却并不怎么自信。

“您不用那么假惺惺地为他们操心。前妻再婚后您就不用付儿子的赡养费了，不是挺好吗？”

“那样的话就再见不到儿子了。”

“他想您的时候一定会来见您。”

“真的吗？”

“是啊，不管做母亲的有多反对。”

“你去过？”

“当然，20 岁的时候。”

“我等不及。”

町田的父母也离了婚，那年町田 10 岁。之后，他由母亲抚养长大。町田的父亲和良多不同，是个老实人，但和母亲之间争吵不断，大概就是那种所谓的性格不合、不该走到一起的男女吧。当父母的离婚终成现实时，町田的幼小心灵反而平静了下来。

所以，町田不但不讨厌父亲，而且很想念父亲。可是母亲坚决不原谅父亲，她恨父亲。

虽说父母离婚不是全部的原因，町田升入高中后变得有些堕落。他骑着被禁止的摩托车去上学，几次受到停课处分，最后因为抽烟一事败露而被学校劝退。

为此，町田没少被良多讥笑“高中劝退”，但实际上他边在加油站打工边完成了业余高中的课程，20 岁那年毕业。

从那时起他开始了独立生活，并去见了父亲。打那以后他就和父亲有了来往。就在町田进入山边侦探事务所工作后不久，父亲因脑梗塞离世了。

町田脑子里回忆着这些往事时，一只蝴蝶在他眼前拍打着翅膀。这是一只美丽的大蝴蝶。一眼看上去黑色的蝴蝶，当它张开双翅时，映入眼帘的却是鲜亮的金绿色花纹。

“碧翠凤蝶，城市里很少见。”町田不由自主地喃喃自语。

他又出神地望着蝴蝶。“我们不是在深山老林里吧？不是吧？”他这样嘀咕着目送蝴蝶飞远。

“怎么了？”良多问。

“看到一只罕见的蝴蝶。”町田腼腆地低下头。

“你是御宅族？”

“是。”町田笑了起来。

原以为町田对蝴蝶完全没兴趣。良多继续追问：

“有种黑颜色的凤蝶，翅膀中间有青蓝色带一样的花纹，你知道那叫什么蝴蝶吗？”

“啊，您说的是青凤蝶吗？”

“果然是御宅族啊。”

“是不是御宅族无关紧要。”町田答道。他想，明明是你先发问的。

“这种蝴蝶飞到我父母家的橘树上产卵，毛毛虫吃了树叶后化蛹成蝶飞走了，这很少见吧？”

“这不可能。”

“你别不信，我看了照片。”

“青凤蝶的幼虫只吃樟科植物，不吃橘树叶。”

“如果产卵产错地方，不是只能吃橘树叶吗？挑不了食。”

“不是挑不挑食的问题。首先，它不会产错地方。万一产错了，也是饿死。我小时候弄错过好几次，所以不会错的。”

町田回答，良多不出声了，不过，他好像并没有被说服。町田在智能手机上查了后给良多看。町田没有说错，那是青凤蝶，只吃樟科植物也没说错。

吃橘树叶长大的叫柑橘凤蝶，随处可见。

良多一时语塞，继续默不作声地贴小广告。

下午，良多和町田守候在私立高中的校门口。3 点正是放学时间。他们用照片比对着高中生们的脸。

町田对此提不起兴致。同样是背着所长干的私活儿，但这次是名副其实的犯罪。

在旅馆街蹲点调查婚外恋时，他们发现穿学生服的高中生和中年妇女进了旅馆，良多即刻将他们拍了下来。

“为什么光看裤子的花纹你就判断那人是这个高中的学生？”町田问。灰格子长裤的确罕见，但由此判断是哪个高中的学生并非易事。

“我考过这所高中，落榜了。”

“您是妒忌吧，伺机报复？”町田愕然。

“少多嘴。”良多说着，目不转睛地盯着校门。

由于没有经过调查,女人的身份没有确定。“要讲究性价比。”这句话从良多嘴里说出来再合适不过了，町田苦笑了一下。

刚才在聊蝴蝶的话题时良多的表现有些古怪，现在又回到平常的状态。

“上高中的时候，你的理想是干什么……对了，你是被劝退的。”

“我已经忘了。”町田淡淡地回答。町田长大后没再和任何人提起，那时自己立志成为一名职业棒球手。上了高中，他一门心思地将目标定在打进甲子园，结果却连高中都没有念完。回答良多“我已经忘了”也不是撒谎，最近完全想不起来小时候的梦想。

沉默了片刻,良多变得焦躁起来,“你问我呀！”他要求町田。

“您的理想是什么？”町田无奈地问。

“地方公务员。”

“好正经啊！”町田高声笑道。

“我不想成为我老爸那种人。”

町田想开个玩笑，但他打住了，只说了一句：“没那么容易吧。”

“啊！”良多和町田异口同声，照片上的高中生正在走出校门。

良多下车追赶高中生。

用“淫乱”的罪名吓唬中年妇女肯定能勒索到更多的钱，可是假如她报警的话就会遇上大麻烦，而高中生没有那种智慧。

况且上私立高中的学生应该有不少零花钱，所以良多决定选择高中生下手。

追到行人稀少的高架下，良多叫住了高中生。高中生对良多和町田怒目而视。高中生的身高和长相都不错，应该是中年妇女喜欢的类型。

良多向高中生出示了相片，威胁道：“那个女人会因为淫乱罪遭到逮捕。”他要求高中生用 3 万日元赎回照片和 SD 卡，高中生犹豫了一下很快答应了。“我去银行取钱。”他说。

高中生交出学生证后去了银行。他的名字叫真田。

“看来要他 5 万日元也不算多。”良多说，町田摘下墨镜。

“您也就是这么点格局的诈骗犯。”町田重新戴上墨镜，他觉得自己猥琐不堪。

“多嘴。为了见儿子，多么危险的绳索都要过。”

“是‘桥梁’。”町田纠正道。

“嗯？”

“‘危险的桥梁’。”

“和绳索差不多。”

“我要刮目相看了，大学毕业生。”

“你不想干的话不用勉强，我一个人干。”

“我欠您一份人情。”町田嘟囔道。

“欠我人情？欠什么人情？”

“您不记得的话就算了。”

“说！”

“没什么。”町田陷入了沉思。

既然连良多都不记得了，也许算不上什么大事，町田想，但对自己来说却是难忘的记忆。

那时町田进侦探事务所工作还不到一年。某天良多坐在副驾驶座上，町田开车驶进了中野一条狭窄的单行道。车内暖气开得太小有些冷，町田用手调节风量。忽地，良多大吼“混账”，从副驾驶座一侧急打方向盘，町田猛地踩下脚刹车。

就在町田视线离开的瞬间，前方骑自行车的小男孩为了躲避电线杆骑上了自动车道。千钧一发之际，光踩脚刹车已经无济于事，幸亏良多急打方向盘才使町田免于沦落为杀人犯。

骑车男孩头也不回地扬长而去。

若在平时，只是为了调风量，町田的视线不会离开前方。

可是那天一大早，伯母来电话说父亲脑梗塞住进了医院。

“快说，搞得我心里痒痒的。”良多催促道。此时真田返了回来。

真田气鼓鼓地从包里取出银行装钱的信封交给良多。

“别再玩火了。”良多说着点了点钱数。3 万日元，一分不差。

“我是认真的。”可能是生气的缘故，真田的声音在发抖。

“对方不过是玩玩罢了。”良多奚落道。他将学生证、照片和 SD 卡还给真田，真田抢东西似的一把夺了过去。

他两眼直直地望着良多。

“我长大后绝不想成为你这样的大人。”

很痛，良多的脸色都变了。

“混账！我也不想成为这样的人！”

“啊，你承认了。”町田情不自禁地笑道。

良多压制不住怒气高喊道：

“你给我听着，如果你觉得很容易就能成为自己理想中的大人，那就大错特错了！”

真田一言不发，冷漠的眼神注视着良多，向后退了几步。

这一回合高中生完胜。听了良多朝向真田背影骂的一句话，町田又不禁“扑哧”笑了出来。

“啃老的寄生虫！”

良多不正是想要从父亲那里偷走“雪舟”的“寄生虫”吗？何况就在刚才，他还从真田这个“寄主”身上“啃”下了3万日元，町田想。

当天傍晚，趁所长已经下班回家，良多带着爱美开车外出。町田一个人出去完成所长交代的品行调查。

良多和爱美去了丸之内的办公大街，他们的目的地是在这个高档地区拥有办公大楼的全日本最大的保险公司。

傍晚6点，目标男子准时下班从公司大楼里走了出来。男子一身合体的淡蓝色西服，略长的发型，没什么特征的平庸的长相。没错，他就是安藤睦美。这个名字听上去很容易让人混淆性别的男人，正是安藤未来的丈夫。他36岁，比未来年长4岁。由于要去出差，安藤拖着一个有些偏小的行李箱。

所有的一切都与未来提供的信息吻合，这是个轻轻松松就能搞定的案子。安藤在公司里干的是个闲职，每天下午6点准时下班。他告诉未来今天要去出差。今年以来，他每月都在发工资的第二天出差，而过去他从未出过差。

也就是说，仅凭这一条关键性信息就能顺利展开调查。良多请爱美协助自己。爱美找出在她衣柜中算是最华丽的那件早已闲置的橘黄色上衣，戴上红发的假头套，尾随在安藤身后。

很快，安藤走进一家花店，买了一大束玫瑰花。

“能帮我把玫瑰花扎成心形吗？”他问店员。

爱美用隐形照相机拍下心形花束，回到停在路边的车上。

“被你猜中了，他买了一大束鲜花。”爱美给良多看照片。

红色的玫瑰花组成一颗心的形状，粉色的玫瑰围在四周。

“一把年纪了，还陷入情网。”

良多一脸不屑。

“快上车。”良多催促爱美。走出花店的安藤伸手拦了一辆出租车。

爱美一上车，良多立刻驱车追赶出租车。

安藤在山手线的大冢车站前下了出租车，这里是他和女人约好的地点。先行抵达的女人挽起安藤的胳膊，那女人也不怎么年轻了。良多追上去拍下了两人的身影。两人向北大冢的情人旅馆街方向走去。

良多将车停在旅馆街的路边，等着走进便利店的安藤和那个女人。

不一会儿，两人手提塑料购物袋，肩靠在一起走了出来，随后进了情人旅馆。良多按下快门，指示爱美。

“爱美酱，你行吗？”

“我像应召女郎吗？”

“没问题，很像很像。”

“很像吗？”爱美面露愠色。

“不不，我是夸你的意思，演得很像……”

“行了。”爱美说着走向旅馆。

爱美走进旅馆大厅，安藤和女人正在挑房间。

爱美取出手机佯装打电话。

“喂，我是小堇。我到前台了，您在哪个房间？”

爱美装扮成应召女郎，偷觑安藤和那女人的房间号。爱美的表演很成功，没有引起两人怀疑。

两人选了 202 号房间。

爱美用隐形相机从正面拍下了两人走向房间的模样。

两人离开后，爱美按下边上 203 房间的按键，取下钥匙，给良多打电话。

婚外恋调查也会遇到各种情况。有人只要求拍下和“小三”进入情人旅馆的情形，也有人不仅想要了解“小三”的个人信息，还要详细了解他们在一起干的丑事。

未来说想知道他们在旅馆里干什么，所以良多开了隔壁的房间。用录像机拍下也不是问题，但为此需要投入大量的时间和经费。听诊器成了最方便的工具，只要将从听诊器中听到的声音放大后录音就行了。

良多靠在墙上用听诊器测探隔壁房间的动静。爱美已经完成了任务，取下头套坐在床沿上。

“呵呵，有了。他们上床了。好丢人。”良多固定好听诊器。

到了这一步，良多和爱美无事可干了。

“爱美酱，之前你不是说过‘犯不着为未来吃醋’吗？”

这句话也被良多写在便签上贴在房间里。

“是啊。”

“女人都那什么吧？开始一段新的恋情之后就把过去的数据全部抹掉了吧？”

“说的是您太太？”爱美笑着反问道。

“……不不，我说的是一般情况。”

“用画画打个比方的话，就像油画，不是水彩画。被上面的色彩覆盖后，下面的色彩就看不见了。不过，还留在这儿。”

爱美指了指自己的左胸口。

“不会抹掉？”良多松了一口气。

“那当然。和重写数据不一样，人又不是机器。”

“说的是，没那么容易抹掉的。”良多感慨道。

第二天是周六，良多和町田在立川的咖啡馆和安藤未来碰头。未来选的是一家很时尚的咖啡馆。由于是周六，店里人声嘈杂。未来一反常态，神色平静地看着婚外恋的证据照。

“果然是友美，那个坏女人。”她笑道。

“与其说学生时代的闺密抢走了丈夫……实际上丈夫早就对友美图谋不轨。”未来说。话虽如此，明知是闺密的丈夫还插足进来，未来还是觉得遭到了背叛。

“呵，这束玫瑰！俗不可耐，十足的娘娘腔……受不了。”

未来露出终于松了一口气的表情，将照片放在桌子上。

“您丈夫的事，是不是觉得还是不知道为好？”町田突然冒失地问。

“当然不是，这样一来我就能从他那里得到更多。不管怎么说，包括这些在内，全都是我的人生。”

未来爽快地从包里取出装着约定金额的信封递给良多，起身离开了咖啡馆。

说好的酬金是 20 万日元。收费偏低，只是通常的四分之一，不过抵扣掉了给对方的封口费。不能太贪得无厌，良多想。由于获得了对方提供的关键性信息，所花的经费只有旅馆费。工作时间也只是两个小时，爱美充当帮手要支付的报酬是 1 万日元。

良多当场要求町田将这笔钱先借给自己。起先打算还上的婚礼二次会召集人碰头会的 3 万日元，他也让町田再等一等。至于向町田借的钱，取得了町田的谅解，暂缓归还。加上真田的 3 万日元，良多要用来支付赡养费，还有一直拖欠着的房租，良多打算先付其中两个月的租金。明天和真悟还有响子，也该去吃一顿高档料理……想到这些，良多越发觉得心里没底。是不是……

“绝对不能拿去赌啊。”町田像一眼看出良多的小算盘似的告诫道。

“嗯？知道，放心好了！”

没去自行车赛场而直接返回事务所，这一切归功于町田。

爱美从良多手里接过 1 万日元，道着谢为良多沏好了茶。

今天所长休息。虽说所长不是什么特别严厉的人，但他不在场，事务所里的气氛还是轻松了不少。良多健壮的身体斜躺在沙发上。

“连婚礼都被邀请去参加的女人竟然跟闺密的老公搞婚外恋。”町田喝着茶瞥了爱美一眼。

“这叫当事者迷。”良多打着哈欠。

“身边也有啊，抢走闺密男朋友的人。”爱美也打了一个哈欠。

町田用怀疑的眼神看着良多和爱美。

“你们两个怎么回事？昨天去旅馆调查没干什么吧……”

“我现在是单身。”良多打趣道。

话音刚落，今天理应在家休息的所长突然现身了，他一身西服。

良多赶紧将桌上的信封塞进了口袋，好悬。

“啊，所长，今天不是休息吗？”爱美问话的语气和刚才完全不同，十分紧张。

“原来的确打算休息，”所长在办公桌前坐下，望着窗外说，“台风又要来了。”

良多心里乱作一团，所长的样子有些反常。

“听说今天在九州登陆。24号台风？”爱美回应道，她为所长沏了一杯咖啡。

所长没有回答爱美，而是问良多。

“篠田，这个工作上手了吧？已经五年了？”

“不，四年。”

“别再说什么为写小说找素材，差不多也该当个正事来干了吧？嗯？”

“不不，说到底还是为了找素材……”

“那就让我看看你的小说吧，我读的是文学系啊。侦探是主角？”

“我不是这个意思……”

所长的口角上浮起了一丝笑意，他毒蛇般的眼神凝视着良多。

“不是坏侦探勒索高中生的故事吧？”

良多吓得浑身僵住了，町田也一动不动。

所长从椅子上站起来，走到良多面前。

“那孩子，真田君，是我当警察时的上司的儿子。”

良多惊讶得说不出话来。

“你想搞垮事务所？”

所长的语调十分平淡，却相当威严，甚至让良多以外的人也觉得惊恐。

“不不，哪敢那样想……”良多声音嘶哑。

所长在良多的肩膀上揉了起来。良多耸肩缩背,佝偻着身体。

“嗯？我夏天没给你发奖金？”

“没……有，还行……”

说好夏季的奖金按工作绩效发放，只是良多没有业绩，所以没有拿到奖金。

“那么想见儿子？”所长继续在良多的肩膀上揉着。

“那……那是，毕竟是亲生父亲……”

“毕竟是亲生父亲？”所长冷笑着继续。

“像你这种混账，根本不该结婚生子。你们也觉得吧？不觉得吗？”

所长寻求爱美和町田的支持，两人像木头人似的愣在一边。

“把刚才的信封交出来。”

原来被所长看见了，良多不情愿地取出信封。

“勒索了真田君多少那什么？”

所长故意模仿良多的口头禅戏弄道。

该回答多少钱？良多迅速转了一下脑筋。不是装在信封里的那个金额，但是所长清楚从真田那儿勒索来的数目的可能性很大，如果撒谎的话，就连二次收费的事情也有可能败露。

“3万日元。”良多的身体越发僵硬。

他会信吗？这么思考的瞬间，良多脑子里突然闪出一个好主意。

所长数了一下信封中的钱。

“为什么是 18.5 万日元？”

“在立川稍微那什么了一下……”

良多和町田其实并没去赌自行车赛，只是回事务所途中去了家庭餐馆，吃了一顿 5000 日元的大餐。不过给所长解释是去赌了，至少可以自圆其说。

所长似乎相信了良多的解释，把钱全放进自己的口袋，又和风细雨地说了几句忠告的话：

“你听我说，不要再去见家人了。有勇气成为他人的过去，才是成熟的男人。明白吗？”

良多无从回答。只是在心里嘀咕，回家后把“有勇气成为他人的过去”这句话写下来。

町田的钱包里只剩下 3000 日元。倘若借给良多的话，这个周末铁定只能喝西北风，所以他没有吱声。

“我们去干点别的。”良多提议道。

两人在柏青哥并排坐下。町田连续中了几次大的，钢珠盒摞了起来。良多一次未中，钱不断被机器吞噬进去。

“把 3 万日元分开放，运气不错。”町田笑嘻嘻地说。

“算是吧……”良多失了魂似的闷闷不乐。从真田那里勒索来的 3 万日元放在夹克衫里面的口袋，算是不幸中的万幸。他后悔的是，如果早知如此，应该把未来支付的酬金放进夹克衫口袋。

用 3 万日元当本金来柏青哥博六倍，想出这一点子的自然是良多。町田没钱借给他，只能奉陪。

町田花出去的第一笔 2000 日元就赢了 1 万日元，而良多一直在输钱。“还有点少吧？”町田说着瞅了一眼自己装满钢珠的方盒。

町田抓起一把钢珠放入良多的方盒里。

“上小学三年级时，我老爸给我买了一副棒球手套，我现在还留着。您如果赢钱的话，请给他买双球鞋或者球棒吧。”

“是啊。不过，拜托你现在不要对我太好。”良多情绪低落地答道。

“嗯？”

“我会哭的……”

良多做出要哭的表情，町田大笑了起来。

事情往往并不能天遂人意，3 万日元被良多输得一干二净。良多伸手去抓町田的钢珠，被町田制止了，町田将自己赢的 8000 日元交给良多。

8000 日元至少确保了明天和真悟见面时所需的资金。如果不来柏青哥一搏的话，没准还能还上一个月的房租。不过，良多从不反省。倘若反省的话，也就不会每次犯同样的错误。

良多回到公寓时已过了深夜 12 点。为了省下明天的费用，他还是从池袋徒步回家。他踏上楼梯一抬头，发现了一个人影。那人坐在他家门口，点燃的烟头如同萤火虫般闪着亮光。

良多蹑手蹑脚地转身离开。

一定是上门讨债的。十天前在柏青哥有人招呼良多，借给他1万日元。那人自称不是放高利贷的，纯属个人借贷。利息是一周100%，也就是说良多必须还他2万日元。是上门追债来了吧，良多想，自己都忘记了借钱这回事。尽管那人看上去不像流氓，但应该有什么背景，若被他发现的话，口袋里的8000日元也保不住了。

没地方容身，良多只能在深夜的大街上漫无目的地走着。

4

良多被预示着台风接近的温湿热风吹醒了。他迷糊了片刻，不明白自己为何躺在公园的长凳子上。快天亮时，良多走累了，走进眼前的公园里躺下。

他看了一下公园里的大钟，匆忙起身，时针指在8点55分。

良多向东长崎车站跑去。

电车抵达之前，良多在车站的洗手间里漱了口，洗了脸。衬衣和裤腿上尽是褶皱，但没有时间回家一趟了。

良多坐上电车赶往目的地。

约好见面的地点是高田马场站购物中心前的广场。这里平时就热闹非凡，今天恰逢旧书集市，更是人头攒动。广场上搭起了很多帐篷，竖着“旧书集市举办中”的旗帜。

良多迟到了 15 分钟。

响子二人等着良多，难掩满脸的怒气。

“旧书市场啊，过去我们两人经常来这里逛，是吧？”良多环视着旧书市场笑道。

高田马场是离响子上的那所大学最近的车站，当时两人经常约好在这里见面。

良多的感慨被响子冷冰冰的态度当头一棒。

“为什么每次都不守时？”

“啊，去出版社谈事了……”

果然吞吞吐吐。

“星期天？这身打扮？”

响子不客气地戳穿良多。

“我写了一个通宵。别看我这样，我也在拼命工作呢。”

响子不再理会。

“钱呢？”

“嗯？什么？”良多佯装不解，一触到响子冰冷的眼神，良多立即辩解，“昨天太晚了，没时间去 ATM 机上取钱。今天银行不上班。”

不管是银行下班时间还是休息日都可以从 ATM 机取款，但响子什么都没说。

“好吧，你早说呀。真悟，我们回家。”

真悟在一旁的旧书摊上看书，马上返了回来。

“没找到爸爸的书。”真悟似乎有些遗憾。

响子一声不吭地拉起真悟的手就走。

“等等，别这样。一个月就盼这么一天，别为那种事剥夺了我的权利。”

响子的眼神越发咄咄逼人。良多后悔说了多余的话，但已收不回来了。

“什么‘那种事’？不是说好的吗？”

响子反驳，语气更加强硬。

“不不，我没说不付钱……”

“什么时候付？”响子追问。

“一会儿……”良多支吾道，其实他心里完全没底。

“好,5 点钟回到这里。到时必须给我 10 万日元,不要迟到。”

响子说完后正欲离开。

“什么？你要走？我们三个去喝点什么吧。”

“今天还在上班，我也在拼命工作呢。”

响子的回答让良多无言以对，只能露出一脸苦笑。

“妈妈，一会儿见。”真悟一脸阳光地微笑着挥了挥手，他已经习惯了父母在一起时剑拔弩张的气氛。

只剩两人后，良多从上至下地打量真悟：“又长高了……”

“一直是班里第三，没变化。”真悟摇了摇头。

“会长高的，你是我的儿子。”

真悟又一次摇头。

“嗯嗯……我像妈妈。”

真悟开心地说，良多只有沉默不语。

这里有好几家运动用品店，良多选了一家看上去做生意比较灵活的小店铺。

征求了真悟的意见，和球棒相比，他更想要球鞋。

卖棒球鞋的区域只有足球区域的一半大小。

良多让真悟挑自己喜欢的。最贵的品牌是美津浓，4000日元。旁边的某个国外品牌只要3000日元，打折后2500日元。

真悟选了最便宜的那双球鞋。

“怎么，还跟爸爸客气，给你买美津浓吧。”

“没关系吗？”真悟是真的担心。

“不用担心。23.5号可以吧？在这儿等会儿。”良多拿起美津浓的球鞋，向收银台走去。

去收银台的途中，良多避开真悟视线在楼梯的一角蹭了一下，球鞋的漆皮部分留下了一丁点不起眼的刮痕。

“你看，这里有一条刮痕。”良多告诉收银台后的男店员。

“啊，对不起。我查一下库存……”

“啊啊，不用了。就这双吧，给打点折。”

听了良多的话，店员有些意外，愣了片刻后，随后按样品打了八折。

“啊，这样就行。”良多付了钱。

小店铺善于变通，省下 800 日元，大商店不可能有这等好事。

真悟好像也发现了球鞋上的小刮痕，不过，真悟不是会对良多直接表达不满的孩子，他只说了一句“让我穿上试试”。再往前走一点路就到公园了，真悟有些犹豫，他不确定在不是球场的地方穿着球鞋跑步是否妥当。

良多小时候，在棒球场以外的场地穿球鞋跑步是被禁止的，不过，有棒球鞋的孩子本身也屈指可数。

“去跑跑看吧。”良多说，两人向公园走去。

不出所料，公园里人山人海，满眼望去尽是孩子和情侣。虽说是合成树脂制成的球鞋，但要穿着它到处跑还是有些勉为其难。

两人在公园待了一小会儿，漫无目的地散了会儿步便回到了车站。

真悟提到了“作文”，良多把这事一股脑儿地忘了。真悟告诉过良多，自己写的敬老日作文得了金奖，良多让他下次见面时读给自己听。

时间还早，良多提议找个地方边吃饭边读作文。他环顾了一下四周，第一时间发现了价格最低廉的牛肉盖浇饭的餐厅和汉堡包店。让真悟吃垃圾食品免不了惹响子不高兴，恐怕真悟也不会对响子撒谎。

在外用餐，响子所允许的范围内，既便宜又让真悟高兴的就数摩斯汉堡[1]了。

点了摩斯汉堡、橙汁，加上炸洋葱和土豆，多出来的 800 日元花了出去，良多口袋里只剩下 4000 日元。考虑了片刻，良多决定要一杯咖啡。250 日元，价格是速溶咖啡的两倍。他心有

1 日本的本土汉堡包店。

不甘，往咖啡中加了大量炼乳和砂糖。

看着砂糖在咖啡中溶化，良多慢腾腾地开口问真悟。这是今天最大的意图。

“你妈妈是怎么说的？”

突如其来的问题。真悟立刻反应过来，是两人在酒店的洗手间里约定的那件事。真悟犹豫了片刻。“爱那个人吗？”真悟再现当时问母亲的口吻。

“妈妈怎么回答？”

“说爱着呢。”真悟一脸抱歉的神色。

汉堡包套餐来了。

真悟好像肚子饿了，迅速打开汉堡包的包装纸，刚要入口，手又停了下来。

“爸爸，您不吃吗？”

“不吃，肚子不饿。”

“哦。”真悟说着咬了一大口汉堡包。

良多情绪急躁地望着真悟，“后来呢？”他催促道。

“妈妈问我，不喜欢妈妈爱上别的男人吗？”

“你怎么回答？”

“我说如果真爱的话，可以呀。”

“笨蛋，这种时候必须回答不喜欢……”

真悟摇摇头，似乎还有话说。

“怎么？”

“我问妈妈，和爸爸比更爱谁？”

“嗯，妈妈怎么回答的？”良多不由自主地将身体往前凑了凑。

“妈妈说，很久以前的事都已经忘了。”

良多叹了口气，几乎趴到了餐桌上。他终于想起来这里的目的，于是让真悟拿出作文朗读。稿纸上贴着证明获得金奖的金色贴纸，贴纸上还粘着一条缎带。

作文从直呼“奶奶”开头，写了两人的对话，也写了表现淑子人品、性格的故事，最后用对淑子的感谢和担心她身体的健康为结尾，一篇难得的好作文。

良多觉得真悟的文章写得过于中规中矩，反而有了挑刺的冲动。假如不从父母挑剔的眼光来看，五年级小学生的作文达到这个水平堪称优秀。良多兴致勃勃地夸奖了真悟一番，真悟却一点儿也高兴不起来。

从两年前起，良多每月见真悟一次，但时至今日他也不知道怎么和真悟相处。倘若有钱的话，可以在游乐场度过一天，可是良多手头没那么宽裕，所以每次都在街上闲逛。虽也有些共同的话题，但很快就聊完了。

真悟无精打采地走在良多边上，但他嘴上没有一句抱怨，或许他已经放弃了对父亲提这样那样要求的念头。

12 点钟前就吃了午饭，现在更让人觉得时间长得难以打发。

即使这样，良多还是不愿放弃见真悟的机会，他依稀觉得这大概就是町田所说的“余情未了”。这种余情不仅对真悟，也是对响子的。

可是良多无法正视自己的愚蠢行为——现在他想要找回的正

是自己抛弃的东西。不，是良多压根儿不愿面对的。

良多停下脚步。

两人走到了一家彩票销售点前。

良多想起了响子那张生气的脸。可彩票是可以用来共同追逐的梦想，至少能成为父子间的共同话题，这一点不用怀疑，他想。

“买彩票吧。”良多征求真悟。

“不会被妈妈骂吗？”

响子一定给真悟洗了脑，在她眼里凡是博彩类游戏都是罪恶的。

“彩票没关系。都到跟前了，买吧，留作纪念。”

“纪念什么？”

“嗯，纪念什么呢……纪念咱俩的那什么，父子情深。”听到良多脱口而出的话，窗口里的女人“扑哧”笑了起来。

父亲常说窗口后面的女人笑了，就要中大奖了，良多觉得眼下是好兆头，不过他也从没听父亲说起过中大奖的事。

良多从钱包里掏出3000日元，看着真悟。让单纯的孩子来选号，没准能中大奖，他寻思。

“你来选号吧。”

“可以吗？”

真悟的语气有些胆怯。

“当然可以。爸爸上幼儿园的时候就跟着你爷爷买彩票了。”良多说着，忽然觉得父亲一定也是以这样的心情让自己选号的。

“哦。”

“我们先说好了，这是爸爸的钱，中奖了平分。”

“小气。”真悟笑了。窗口里的女人又一次笑了起来。

看来真的能中大奖，良多一下子情绪高昂起来。

“小气就小气。听好了，彩票可以选连号的，也可以选不连号的。选不连号的，之后确认有没有中奖的时候特别刺激。买连号的话，一等奖有额外的前后号奖。比如中了3亿日元，还能额外得到2亿日元的奖励……”

良多讲得十分投入，真悟认真地听着。

真悟经过一番苦思，认真挑选了不连号的数字。两人用3000日元买了10张彩票。彩票交到真悟手中，下个月的23日公布中奖号码，两人约定下次见面时一起来确认是否中奖。

良多站在彩票销售点边上打电话。

“喂喂，是我。”

良多打电话给淑子。“啊呀，我还以为是你爸。”淑子应道。随着年龄的增长，良多的声音也越来越像父亲。

“说什么呀，又不是幽灵。现在去您那儿行吗？我带真悟过去，他说有东西要给奶奶看。”

这个谎撒得太圆满，良多不由得窃喜。进展顺利的话，说不定还能借到赡养费。

“什么？我？”真悟一脸不解。没说要让奶奶看什么，真悟当然觉得奇怪。

良多挂断电话，“那篇作文，怎么能不让奶奶看呢？”他心情愉快地说。

当天一大早，千奈津一家就来了。

千奈津的丈夫正隆在起居室里用美工刀劲头十足地干着木工活儿，两个女儿在一旁叽叽喳喳地说个不停。

“要来吗？”在厨房里喝茶的千奈津正准备吃带给母亲的三色糕团。

“嗯。”淑子挂断电话，也坐了下来。

“不是台风要来了吗？”

“他说和真悟一起来。”淑子说着将小型按摩机放在手臂上，“好舒服。”她闭上了眼睛。

“不错吧，在上班族里很受欢迎。”

这是千奈津送给淑子的礼物，一来是敬老日，二来感谢每月为女儿出的那笔花样滑冰的学费。

“还是小心点好。”千奈津告诫淑子。

“小心什么？”

“肯定有什么企图。过去连过年都不回家，突然变得三天两头上门，不觉得奇怪吗？”

事实的确如此。良多三四年也没回过一次父母家，倒是淑子担心良多，去良多的住处看过好几次。

“是来求我帮忙吧？”

“帮什么忙？要钱？”

“不是，是和响子的事。”

“已经来不及了。”

“现在的人都不知道忍忍。”淑子不满地说。

“算得上忍了又忍吧？”

“主要是女人有了点文化，一个人也能生活得下去了。”

“这不好吗？这比什么都重要。”

“他们真的没希望了吗？”

看来淑子还没死心，她好像并不只是因为可怜良多。

“这样就行了。”

千奈津的丈夫正隆正在修补被良多碰碎的起居室移门上的玻璃。他从家居中心买来了合成树脂瓦，剪裁成和玻璃窗框完全吻合的尺寸贴了上去。半透明的合成树脂瓦能让光线通过，不会使屋子显得很暗，最重要的是牢固。

“帮了大忙了，谢谢谢谢。”淑子向正隆鞠躬道谢。

“行了，他喜欢干这种活儿。”千奈津丝毫不客气地说。

“是的，其实过去我想过当木匠。”正隆露出了一脸憨笑。正隆在汽车公司工作，从事销售。

“多谢了。”淑子又鞠了一躬。

“以后别干那种事了。”千奈津开口道。

“什么事？”淑子反问。

“带他们去吃寿司了吧？”

有人说“在清濑站前的回转寿司店里看见你妈和媳妇、孙子在一起”，住在娘家附近，这些信息免不了传入千奈津的耳朵，甚至具体到吃了几盘墨鱼和秋葵等。

“这有什么，大家关系好嘛。”

“对响子来说是负担啊。不要带着他们到处跑。还有，既然去了就不要小气，吃些好的寿司呀。”

淑子不理会正在埋怨自己的千奈津，对正隆招呼道：“多谢多谢，您喝茶吧。”

良多和真悟两人一起来小区还是很久以前的事了，也许可以追溯到真悟上幼儿园的那会儿。良多不记得真悟上小学后还带他来过。响子好像带真悟来过几次，但在父亲去世时也只是在殡仪馆见到真悟，那会儿响子还要赶去上班，敬完香之后便带着真悟早早离开了。

坐上电车后，良多也一直讲着过去的事，但真悟看上去情绪不高。

良多自顾自地喋喋不休，好像要让真悟记住些什么。

中途换乘了一次大巴车，快抵达小区时，良多讲得更加来劲了。

“你看，那是爸爸每天送你去的珠算学校。啊啊！八番中餐店不见了。那个店的叉烧太好吃了。老板的独生子星崎和我是同班同学，学校郊游时他带了叉烧，很受大家欢迎，都抢着和他换点心吃……”

真悟望着窗外，心不在焉地听着父亲说话。

下了大巴车，良多依旧说个不停。走进小区，良多一个接一个地讲着他同学的故事，这些故事引不起真悟半点兴趣。走到公园路口，提到章鱼滑梯的话题时，真悟突然情绪高昂起来。

“那个就是章鱼滑梯吧？爸爸，刮台风那天我在那里面吃点心呢。”

“啊？和谁？”

“和爷爷。半夜里。”

真悟停下脚步，两眼炯炯有神地望着章鱼滑梯，这是今天一整天中真悟最快乐的表情。

“半夜？不暗吗？”

“带着手电筒呢。”

“没挨骂？”

“被谁？”

“妈妈呀。”

真悟以为说的是响子，不过他立刻反应过来，自己搞错了。

“您说的妈妈，是爸爸的妈妈吧？奶奶不知道。我们悄悄出门，没吵醒她，后来又悄悄回来。”

良多想起自己从未用“妈妈”称呼过母亲。当时小时候称呼“妈妈”的话会被同学们嗤笑。

又继续走了片刻，眼前出现了一座水塔。这是为小区供水的稳压装置。它的底部是一只巨大的圆筒，上面的储水部分是呈向外扩张的圆锥体。因为要为最高的楼层供水,所以超过五层楼高，足有 20 来米。

“看那边的水塔，知道是干什么的吗？”

“嗯，知道。”

“爸爸在你这个年纪，和同学一起爬上去过。”

“啊？”真悟仰视水塔，露出胆怯的神态。

“芝田吓得不敢下来。”

也就是“在西武住宅小区建了独栋小楼的大器晚成的芝田君”。

“为什么爬上去？”真悟提问的角度让良多感到匪夷所思。

“为什么？怎么说呢，因为它是小区里的标志性建筑吧。”

良多从未想过爬上去的理由。

“奇怪。”真悟喃喃道。

“这不奇怪。你们不做这种事吗？”

“不做。”真悟率先迈开步子。

是因为真悟的个性，还是因为时代？良多沉思着。良多怎么想也找不到答案，他只是痛感，以后和真悟交流的时间会越来越少。

到了淑子家后，真悟立刻加入了千奈津的两个女儿和淑子正在玩的游戏——“击鼓达人”。到底还是孩子，良多想。

良多依稀记得，自己小时候和表兄弟们不会一下子玩得那么熟络。相隔一段时间后再见面，互相就有了生疏感，要花不少时间才能适应。

千奈津的丈夫坐在厨房一角的圆凳子上用勺子使劲挖着冰块，“好久不见。”他露出爽朗的笑容和良多打招呼。“你好。”良多回应道。正隆总是十分和蔼可亲的样子，和老是端着的良多属于两种类型。

起居室没有良多坐的地方，他只好在厨房里隔着饭桌和千奈津相向而坐。

“姐姐怎么会在这儿？”

“怎么？我在这儿你不方便？”

对良多来说的确有诸多不便，今天他怀揣“目的”而来。

“我可不是这意思……”良多支吾地回答。

“我们来修被你碰碎的玻璃呀。不然台风来了，会把雨吹进来。”

“哦？你可真孝顺。”良多挖苦道。

“连你的份儿都替你孝敬了，是够辛苦的。”千奈津顶了回去。在讽刺挖苦方面良多不是千奈津的对手。

“说得好听。晚饭总该自己做吧。”良多勉强还击。

“这也是一种孝心呀。”千奈津不以为然地回答。

“别装了。”良多能说的只剩这么一句。

淑子结束游戏回到厨房。

“怎么了？”千奈津的视线随着淑子的身体移动。

“彩珠说口渴了，我给她拿可尔必思。”

“别忙活，喝水不就行了。”千奈津责怪女儿。

次女彩珠不搭理响子，进一步要求:“外婆，我要浓一点的。”彩珠说着，在良多跟前转了几个圈，右手高高举起摆了个造型。

“我学花样滑冰了，外婆替我缴的学费。”她一脸自豪地告诉良多，随后又转了几圈，再次举起右手，一定是受了羽生结弦选手的影响。

“呵，比别人还多转了几圈啊。”良多讥笑彩珠，他压低嗓门儿质问千奈津，“你所谓的孝心原来就是这个啊！”

“什么这、那的？”

“是谁家的千金在说学花样溜冰的？”

“是花样滑——冰好不。穷人家的孩子就不能学吗？”

“能啊，不能用自己家的钱去学吗？”

“每月缴那——么多学费学小提琴的是谁家的公子呀？”

良多上小学时缠着母亲要学小提琴。虽说也有喜欢音乐的成分在内，但更多的是因为迷上了电视剧里会拉小提琴的主角。

由于进步不大，而且提着小提琴盒走在小区里常常被小伙伴们嘲笑，所以良多很快就不学了。

实在不是姐姐的对手。

“别哭穷，不管在老妈面前，还是在我面前。”千奈津警告良多。

良多一脸沮丧，有些词穷。

“你们，喝完那个回家。”千奈津对女儿们说完后转向良多，“你住下？”

“不住，我也回去。响子来接真悟。”

良多打电话给响子，告诉她带真悟回了母亲家。电话那头响子大发雷霆。台风已经临近，此刻风雨大作。良多说送真悟到池袋，更是被响子劈头盖脸地责备：“这么大的暴风雨，别带他乱跑！”响子决定自己过去接真悟。“你来接不也是一回事吗？”良多说，“我坐出租车。”响子挂断了电话。

正隆开始心神不宁起来。

“响子酱要来？那我们再待会儿吧。”

千奈津看着正隆讥笑道。

“脑子里在转什么念头呀？对自己的弟媳妇。”

“不不，是前弟媳妇，前——”正隆一本正经地回答。

“我们回家！台风要来了。”千奈津不再理会丈夫，催促两个女儿。

“响子酱几点来？”正隆认真地问良多。

“5 点多吧。”良多回答。

“这样啊。”正隆看了一下表，现在 4 点半。

“你那么想见我前妻？”

正隆没听出良多嘲讽的语气，看着手表，一脸因见不到响子而深感遗憾的表情。

正隆的愿望在最后一刻实现了。正准备离开时，响子出现了。暴风雨非常猛烈，响子打着雨伞还是浑身湿成了落汤鸡。

“响子酱，你好吗？”

正隆不顾大雨，将车窗开到最大朝响子挥手。

“啊，你好。”

“快跑吧，台风好厉害。”雨打在正隆脸上，他还是笑容满面。

“谢谢。”响子说。后座席也开着车窗，长女小实朝响子挥手。

“小实酱，要高考了吧，加油啊。”响子招呼道。

“都立大学考不上……我报了私立……”听到小实带哭腔的声音，响子有点不知所措。“说什么蠢话，必须考上都立大学。”千奈津说着，对响子露出了笑脸。

次女彩珠也露出脸来：“我开始学花样滑冰了，是滑——花样滑冰。”

“不错啊。再见。”响子挥了挥手。

“再见。你都淋湿了，快进去吧。”千奈津也挥挥手。

“我先走了。”响子跑上了楼梯。

千奈津“咚”的一拳捶在正隆背上，他正全神贯注地目送响子。

“雨进来了，关上窗户。”

怒气冲冲的千奈津其实很喜欢响子。响子称得上是个美女，但丝毫不矫揉造作，待人和善，会关心人。不仅丈夫正隆，孩子们也都和响子十分亲近，母亲当然也不例外。

和响子合不到一块儿的恐怕只有良多吧，千奈津想。

5

响子按下门铃，淑子好像等着似的立刻开了门。

“哎呀哎呀！”见到浑身被雨淋湿的响子，淑子转身去取毛巾。

“妈妈，不好意思，没打算这种时候来打扰的。”

“这样好，反倒热闹了。”淑子在起居室里回答。

真悟和良多一起现身了，两人看上去兴致很高。

真悟穿着棒球鞋。

“快脱下来，别穿鞋在屋子里。”响子责备道。

“新鞋子，还没在外面穿过呢。”真悟走了几步给响子看，脚下发出“咔嗒咔嗒”的声音。

“新鞋子也不行，不吉利。”响子摇着头。响子说这话是因为想起送葬时直系亲属穿着皮鞋将木棺抬出房间的习俗，但真悟格外兴奋。

“是我，我给他买的。”良多特意强调。

响子没有理睬良多。

良多又主动搭话：“没被车站开出来的大巴车弄迷糊？主要是为上年纪的人服务的，遇到情况也会临时改道。”

“之前我也来过，还记得。”响子爱答不理地回答。

良多不知道响子和淑子聚餐吃寿司的事情。她们有时在车站前吃完后也会来小区。

“不行，快脱了，会弄坏地板的。”响子训斥真悟。

“没事的，反正都已经伤痕累累了。”淑子手拿毛巾出现了，“和奶奶一样。”她说完笑了起来。

“让您费心了。”响子接过毛巾也笑了起来。

“响子，快脱了鞋子进来，把衣服烘一下。”

说着，淑子和真悟一起进了起居室。

两人离开的瞬间，响子瞪了良多一眼。

“少让老人操心。”她小声埋怨道。

“真悟说想来看奶奶。”

“又拿孩子作借口。”响子更生气地怒视良多。

“我说，响子，快进来，别感冒了。”淑子在起居室招呼响子。

“好，我马上过去，就打扰您一会儿。”说着响子向起居室走去，再次回头瞪了良多一眼。

既然来了就没有马上离开的道理，淑子希望他们吃完晚饭回家。响子也没有理由拒绝便答应了。

在和良多暴风骤雨般的婚姻生活中，响子不止一次地在心里抱怨淑子，究竟是怎么教育儿子的！可是一旦面对淑子，她心中的怨气便马上烟消云散。淑子是个大大咧咧、性格开朗的人，偶尔发起脾气来好像换了一个人，但也十分爽快。另一方面，她又善解人意、善良、幽默、孤独感强烈……响子喜欢这样的淑子。

晚餐是咖喱乌冬面。淑子将存放在大保鲜盒里冷冻的咖喱乌冬底料放入微波炉解冻后倒进锅里。足够五个人吃的份。食材中加入土豆是蓧田家的惯例，但冷冻后的土豆会变得很脆。

切土豆成了响子的活儿，而油炸物则交给真悟负责。谁都没料到真悟会那么一丝不苟地把食材切成长方形。

良多站在起居室看着其他人，有些心神不宁。

“加点青豌豆，颜色会变得那什么。”良多要求母亲。

“好的好的。”淑子从冰箱里取出冷冻的青豌豆放进锅里。

手上干着活儿，聊天的话题转到了真悟的身高上。

“排在前五位？”响子语气温和地问。

“嗯嗯，第三位。”真悟回答，他小心地切着红肠，看上去很喜欢干这种活儿。

“说起来，那小子也是上中学后才开始长个儿的。”淑子指着良多，“一下子蹿起来的，爷爷说他也一样，所以真酱上中学后也会长个儿的。再说这孩子腿部很结实，绝对会是个大长腿。”说着，淑子在真悟的腿上摸了一下。

“别瞎说，又不是狗，和腿有什么关系。”

淑子没理会良多，开始往锅里下干面。

“奶奶说了能长高，开心吧？”响子笑道。

真悟停下手中的切菜刀，注视着良多，“真的能长那么高吗？”他问。

“当然能长高啊，能长高，长高！”良多点着头。

“说了三遍，有点假。”真悟笑道。

淑子吃了千奈津带来的三色糕团还不饿，只盛了一小碗乌冬面，很快吃完了。

她催促真悟将获得敬老日作文比赛金奖的作文读给自己听。

良多也不断催促还没吃完的真悟“快读快读”。

真悟将作文拿在手里读了起来。作文的题目是“我崇拜的奶奶”。

急着要听作文的淑子，此刻却变得坐立不安起来，她不时站起来打开橱门看看。母亲大概有些害羞，良多想。

“……来奶奶家，穿上她为我手工缝制的衣服，非常漂亮。我一穿上新衣服，大家都非常高兴，我也很高兴。不过，大家说我可爱，我还是有些难为情。虽然奶奶为我做很多事我很开心，但做得太多会累的，您要多注意休息。奶奶，您一定要长寿啊！”真悟腼腆地读着作文，最后说“读完了”。

“就是想读给奶奶听，是吧是吧？”良多催促真悟承认，真悟勉强点了点头。

“奶奶好高兴。你要崇拜的话还是要崇拜特蕾莎修女、宇航员什么的，那样听上去多有志向。”

淑子一脸羞涩地说着，取出照片给响子和真悟看。

一张是几天前已经给良多看过的停在橘树上的青凤蝶的照片。

“好漂亮。有这种蝴蝶？”响子吃惊地问道。

“是啊，就在这一带，因为这里还有很多绿色植物。”

还在厨房餐桌边吃着咖喱乌冬面的良多瞥了一眼照片，果然是町田说的青凤蝶。

良多正要开口问这种蝴蝶真的吃橘树的叶子吗，淑子拿起另一张照片给良多看。

“这是岗亭后面。”

照片上是农田，草莓丰收在望。

“啊啊，那块地已经没有了吧？”

照片上的农田是淑子过去精心照料过的那块地。附近的大农户将一块农田低价出租给了小区的居民。淑子曾在那块地里种过蔬菜和水果，不过现在也已经建起了楼房。

“那个草莓好吃吧，真酱？”淑子问真悟。

“嗯。”真悟回答，吮了一口剩下的乌冬汤。自己出力做的咖喱乌冬面比平时的好吃一百倍。

“你还要吗？”淑子问良多。

“啊，要。”良多把饭碗递给淑子。

“看来是肚子饿了。”淑子望着吃得干干净净的饭碗。

由于没吃午饭，良多肚子里空空如也。

“真悟，你也再添点儿？”良多问。

“嗯，还要。”真悟答道。响子拿起真悟的饭碗走进厨房。

“咖喱煮得正好入味。”响子将饭碗递给淑子。

“不错吧，是用鲣鱼做的底料。他爸喜欢，所以我做了很多那什么。”

淑子边盛乌冬面边说道。

“啊？还是半年前做的？”

“你已经吃下去了，晚了。”淑子调侃着，把饭碗放在良多跟前。

良多用鼻子闻了闻，当然，除了咖喱味没别的。

“男人就是讲究保质期。”响子也附和淑子，将饭碗在真悟面前放下。

“就是。”淑子回应道。

“当然讲究啊，是吧，真悟？”良多寻求真悟支持。真悟只是笑而不语。

“你，衬衣上沾上咖喱了。”淑子说。

良多一看，确实咖喱溅到了衬衣上。淑子拿起抹布用舌头舔湿，为良多擦拭。

“喂，你用舌头舔了吧，脏死了！”

良多用手阻止淑子，淑子毫不理会地又狠狠舔了几下继续擦衬衣。

“好意思跟自己的父母说脏吗？我为你把屎把尿什么都干过。”

趁淑子生气，良多在水龙头下将衬衣弄湿。

“男人身边没有个女人就是不行，是不？”

淑子故意说给响子听。响子一动不动地听着，没有接淑子的话茬。

吃完晚饭后，响子催促真悟收拾回家。

“住一晚再回吧。”淑子带着哭腔央求。

外面的暴风雨声的确越来越大。

良多打电话叫出租车，电话铃声响了很久无人接听。

“这种时候把奶奶一个人撇下回家？”淑子再次可怜兮兮地恳求。

真悟和响子停了下来。

“这种时候要苦苦哀求才行。好啦好啦！”良多劝道。

淑子并不死心。

“有多的被子，床单也是刚洗过的。”

响子一脸为难：“明天还要上学……”她看着真悟。

“停课，学校反正停课，”淑子说着抱住真悟，“是吧？”

“大概下午才会上课。”真悟回答。下大雪还有去年刮台风的时候，也都是下午上课。

“是吧！外面危险着呢。这么大的暴风雨，不知什么东西会被吹得掉下来。”

“是啊，但没带替换衣服……”

响子说得没错，而淑子并不罢休。

“实在那什么的话，明天一大早回去就行了。”

“出租车全部预约出去了，要过来接的话最快也要 30 分钟。”良多为母亲带来了好消息。

“是吧，那么晚回去真悟睡觉也要晚了，对身体不好。”淑子用做出最后决定的口吻说，她已经使出了全部招数。

响子也不再坚持。

“好吧，听奶奶的吧？”她征求真悟的意见。

“嗯。”真悟喜出望外地回答。

淑子瞬时变得容光焕发，“那我去准备洗澡水。”她说着向浴室走去。

“还有牙刷和睡衣吧，”她停下脚步，“响子穿千奈津的绿颜色睡衣可以吗？我洗过了。真悟穿前年的那件，大概穿不下了吧？”淑子眉飞色舞地说。

“突然又活过来了啊。”良多不好意思地挠着头。

从浴室里传来点火开关“咔嗒”的响声。这一久违了的声音，让良多的心里有些伤感。

他又想起了蝴蝶的事情。母亲为什么会说毛毛虫吃了橘树的叶子长成了蝴蝶？难道是她觉得说了那句“不开花也不结果”的话太伤人才撒了那个谎吗？不过，这不是母亲的风格。

良多看到阳台上的橘树在风中左右摇摆。

那只青凤蝶一定是在附近的杂木林里吃樟科植物长大的，只是为了休息一下才飞到了阳台的橘树上。也许自己就是那只青凤蝶，良多想。

或许在母亲眼里，离婚后穷困潦倒、突然回家的儿子，和青凤蝶重叠在了一起，她一定在翘首盼望自己这个有家不归的不肖子。

浴室的火似乎点不上。

咔嗒、咔嗒……点火声不绝于耳。

海よりもまだ深く

起居室里只剩下淑子和真悟二人。

良多在浴室里洗澡。响子说去良多的房间打电话。

淑子从壁橱的小柜子里取出用尼龙绳捆起来的一卷纸，是良多上小学、中学、高中获得的奖状。其中的绝大部分是作文竞赛的奖状，还有一些不同时期的文集，以及高中时投稿首次被刊登出来的杂志。

淑子解开尼龙绳，将良多小学五年级在学校里得奖的作文挑了出来。

这篇作文老师要求对社会上引起强烈反响的在银行劫持人质的抢劫事件发表看法，而良多自作主张地用充满幽默感的语言写了在听说这一事件之前自己干的事。在写满两张稿纸的文章里,除了一个句号外均是逗号。一部分老师给了这篇作文最低分。有一个老师坚持认为文章“很有趣”，最后这位老师的意见被采纳，作文得了奖。不过，良多并非有意写一篇通篇逗号的作文，在被老师问到时他才恍然大悟。

淑子将作文递给真悟。稿纸已经泛黄，真悟开始读父亲的作文。

“你爸爸从小就很会写作文。”

“哦。”真悟似乎不太感兴趣。

“真酱没准也文采出众。”

听淑子这么说，真悟惊讶地抬起头来，脸上露出不安的神色。

“文采？”

“不用紧张，不是坏事啊。”

“真的？”

“嗯，是非常好的事情，不是每个人都有文采的。”

真悟还是显得有些不安。淑子轻轻摸了一下真悟的头。

“不想和爸爸一样？”

“嗯。”

“为什么？”

“妈妈不是讨厌爸爸才分开的吗？”

淑子赶紧打断他。

“喜欢才在一起的啊，所以就有了你。”

真悟似乎陷入了沉思，不一会儿他问：

“爸爸爱我们吗？”

真悟的话触到了淑子的痛处。她很清楚良多对家庭不闻不问的态度，现在真悟怀疑良多的爱，也许就是必然的报应。

“当然爱，怎么会不爱……”淑子说。

真悟的神情稍微平静了下来。

“那，彩票中奖了，大家还能一起生活吗？”

淑子感觉心痛，看来真悟知道父母离婚的最大原因来自经济上的窘迫。

“是啊，说不定能呢。”淑子只能这么回答。

“那就造一幢大房子，奶奶也来一起住。”

“啊呀，奶奶好开心，一定要让奶奶一起去住哦。”

泪水在眼眶中打转，淑子强忍着。

响子一个人在良多的房间里。福住打来电话，响子进房间后也没接起电话。两声、三声……手机铃声持续响着。

响子没接，她不知道该怎么向福住解释眼前的状况。和前夫以及儿子一起住在前夫的父母家，尽管因为台风来了，福住也一定会不高兴。没准他会说马上开车来接。那样一来就会与良多直接照面，响子不想他们发生冲突。

响子想还是过会儿给他发短信，就说由于暴风雨太大没听见手机铃声，假装已经回家了。福住还没有进过自己的房间，应该不会提出今晚来吧。

响子不是第一次进良多的房间。结婚后来公婆家住下时，响子就躲在这个房间里，通宵达旦地读着想象中良多也一定读过的小说。

她发现书架上的书籍没有丝毫变化。一本单行本进入她的视线，是川上弘美的《踏蛇》。小说写的是被踩到的蛇自称母亲住进了一位独居女性的家里的故事，梦幻和现实交织，形成了小说奇异的风格。响子读过川上弘美的所有小说，其中最喜欢的莫过于这部《踏蛇》，上大学时反复读了好几遍。

良多也读了这部小说。良多认为蛇是一种隐喻，这种解读也很有深度，让响子受益匪浅。

不过，响子喜欢这个故事本身，放弃了对意义的解读。良多一开始批评响子“避重就轻”,却逐渐与响子产生了共鸣,说“还是你那种读法有意思……”

响子回忆起这些不由得心生感慨，她翻开了拿在手里的这本书。

良多身体泡在浴缸里，脑子却还在想青凤蝶。他忽然发现浴缸的水管一侧不断有漂浮物涌动。良多抓起手桶往外舀水，浴缸太窄，手脚舒展不开，只好打开水龙头放水带走漂浮物。

“浴缸太小了，好久没在里面泡澡了。”良多说着，回到起居室。响子和真悟正玩着“大富翁”游戏，这是淑子为孩子们准备的。好像已经决出胜负了，车走到了终点。

“真悟洗澡吧？”良多问，他从冰箱里取出啤酒。

淑子在厨房的餐桌旁专注地写着“手绘信”。

“我洗不洗呢？”真悟犹豫不决。

“去洗吧，泡一下很舒服。”良多又对淑子低声道，“水管该清洗了，黑黑的脏东西都出来了。”

“啊啊，黑小鬼啊。”淑子笑了起来。

说起来良多上中学时也出现过相同状况。用清洗浴缸的刷子弄干净后，过了一段时间，等到差不多忘了它时又会出现。过去蓧田家称它为“老垢”,千奈津的两个女儿看了《龙猫》后称它“黑小鬼”。

“黑小鬼会出来吗？”竖着耳朵听两人说话的真悟兴奋地问道。

“当然会出来，不过是在水里。”淑子双手下垂，模仿小鬼的模样。

良多察觉响子有些异样。她背对自己静坐着，对母亲的调侃每每不假思索地点头回应，但一言不发。

“你们玩大富翁啊。三人玩吧？”良多试探性地问道。

“我休息一轮，你们两个玩吧。”响子面无表情。

真悟最先机敏地回应：

“好吧，我去洗澡了。我想看黑小鬼。”

“老妈，真悟要洗澡，您给看着点儿。”

“好嘞！”淑子跟着真悟向浴室走去。

良多坐到响子跟前。响子显得闷闷不乐，视线回避着良多，而此刻良多只能硬着头皮搭讪：

“我们两个玩吧？”

“和你玩？玩不到一块儿。无法想象和你玩大富翁。”

响子动手收拾棋盘，动作幅度很大。

“你生什么气啊？”

“今天你和真悟干什么了？”

响子说的不是赡养费的事情，良多松了口气。

“给他买了双棒球鞋，吃了汉堡……”良多赶紧辩解，“不是麦当劳，是摩斯汉堡，摩斯。”

这些不是响子生气的理由。

“后来又干什么了？”

良多终于明白了，原来是为买彩票的事。

“拜托你，不要把你的恶习传染给真悟。”

“彩票又没什么。”良多嘟囔。

响子脸色都变了。

“我要把真悟培养成勤奋刻苦的人，不想让他通过赌博不劳而获……”

良多举手阻止响子继续说下去。

“买彩票怎么算是赌博？”

“就是赌博！”

“混账，那不是！”良多也生气了。

“那好，你告诉我那算什么？”

“每 300 日元都是一个梦想。”

“还不是一样？”响子语气冰冷地反诘。

“你说那种话，是在和全国六千万彩民为敌。”

聊到赌博，这是良多词穷时的一贯说辞。

“我又不怕，为敌就为敌。”响子不以为然地说。

“嘿咻”，淑子的声音传了过来。她正从壁橱里取被褥。响子起身上前帮忙，良多也跟了过去。

卧室的榻榻米上铺了两条被褥，三只枕头并列摆成了一排。

“老妈，您这算什么？”良多责怪道。

“你爸的被褥拿出去洗了。”淑子顾左右而言他。

“不是，我不是说的这个。我们已经那什么了。”

“不是一家人。”这句话良多说不出口。

“不能这样。”响子态度很坚决。

“这有什么，让真悟夹在中间不就行了？我睡起居室。外面下着大雨，一家人就不要掺水了[1]，你们很久没在一起了。”

淑子开着玩笑，铺好了被褥。

响子一言不发地注视着被褥。

“哎呀哎呀……真难办。”良多嘴上说着，脸上不由自主地露出了喜色。

响子轻轻叹了一口气。

1　这里淑子用了有“水”字的日语惯用句“水入らず”，意思为“没有外人介入的亲密关系”。

淑子一个人在起居室里看电视，看她最喜欢的“漫才[1]”。今晚有久违了的特别节目，淑子邀良多和响子一起看。响子说“我洗漱一下”便进了卧室，良多也跟了进去。

响子两眼瞪着良多，良多走进卧室拉上移门。

两人共处一室不知道该说什么，良多从真悟的书包里取出作文读了起来，一边读着一边称赞。

“啊，太有才了。小学生很难写出这样的文章。”

“真的吗……”

“嗯，让他多读点书吧。”

“比如说？”响子仍然是爱答不理。

“比如西顿、法布尔的作品，还有《杜立德医生》等，下次我选好了寄给你。”

这些都是良多少年时代痴迷过的书籍。

---

1 类似于中国相声的曲艺类表演形式。

“嗯，谢谢。”

“不用客气，我能做的也只有这些。”

事实上“只有这些”良多也未必能做到。良多不想被响子说破，正欲换个话题，却被响子抢了话题：

“你在写作？”

响子的话犹如一剑封喉。“你问我？”良多傻兮兮地反问。

“嗯。”响子点了下头。

“现在已经不是纯文学的时代了，流行轻小说、日式轻小说之类的。”

“你一直这么说。”响子说，不过她不是责备的语气。用责备的语气和良多说话早已成为历史。

无论轻小说还是日式轻小说也都是文学，纯文学也只是文学的一个种类，并不比其他文学种类伟大。无论响子说多少遍，良多一定会将责任推到“时代”身上。

不过良多今天倒有一个可聊的话题。

“今天有出版社找我为漫画创作脚本。是大人看的那种，我在考虑偶尔也尝试下这种东西。”

先前也有各种出版社征询过良多的意向。虽说不都是写小说的工作，干好了的话生活应该早不成问题了，但这些都被良多以“没价值的工作”为由拒绝了。

“我以前就劝过你，可你从来不听人劝。”响子有些愕然。

“这个工作如果定下来的话，每个月的赡养费就能……”

响子闭着眼睛轻轻摇了摇头。

“不用了，不必为了见儿子一面那么勉强。”

“不不，一点都不勉强。只是尽一个做父亲的本分而已……”良多口中吐出一句毫无新鲜感的陈词滥调，若在过去响子一定会甩下一句话摔门而去。

“每月玩一次‘父亲游戏’，你还好意思这么说。”

响子冷冰冰的语气中充满怒气。

“也不能说是‘父亲游戏’吧。”良多的反驳显得很无力。

“游戏就是游戏。”

“那好，那就每周一次，我没问题。”

良多虚张声势道。

“你根本做不到。”响子说，良多没有反驳的余地，她进一步追问，“既然那么拼命想做个好父亲，为什么一起生活的时候不能稍微……”

良多低下了头。

“是啊……你说得没错。”

听了良多的话，响子露出一脸厌倦的表情。

“我们已经分手了。”响子望着良多强调。

“嗯，”良多应道，随即装作若无其事地冒出一句，“不过，我们还没完吧？”

“嗯？”

“不是吗？我仍然是真悟的父亲。不管我们是不是夫妻，这一点没有任何改变吧？”

响子叹了口气。

响子的叹气声让良多不安。已经没有回避的余地了，他打算直入主题：

“怎么？有新情况吗？有别的那什么了吗？”

“嗯，没错。”响子干脆承认。

“真的？有人了？”

良多当然知道，但他控制不住想问。

“怎么了？”响子不解地望着良多。

良多避开响子的视线。

“真悟说的？”

良多没有正面回答。“果然有了。”变成了抱怨的语气。

响子目光冰冷。

“已经那什么了？做了？”

良多想要用轻快的语气说话，却失败了，成了盘问的语气。

“住嘴，别在这里说这种话题！”

“做了吧？”盘问的语气更加强烈。

“做了啊！”响子恼怒地回答。

良多叹着气一头栽倒在被褥上。

“做了……是吗？做了……”

“有什么奇怪的？又不是中学生。”响子反问。

“你打算再婚？”

“还不清楚。”

“怎么可以还不清楚就做了，决定了再做啊！”

良多说话太不中听，响子按捺不住了。

“不做之前怎么决定？！”

“你说的什么话……”良多高声嚷了起来。

“别那么大声。”响子制止他。

“你，竟然和那种人……”话一出口，良多立刻闭上嘴。

“‘那种人’是哪种人？你认识？”

“什么？”

“你见过？”

“见过谁？在哪里？”良多想掩饰，但眼神出卖了他。

响子冷笑的表情在脸上扩散。

“好好好，不愧是侦探，做出来的事太下流，真的太下流。”

良多一时语塞。“快来看电视，快结束了。”起居室那头传来淑子的声音。

“知道了，一会儿就去。”良多回答。

“准备要孩子？”良多压低嗓门儿问。

“是啊，可能会要。”

“难怪那么着急。”

35 岁也是怀孕和生育风险陡增的高龄产妇的临界点。如果再婚的话，不难想象男人希望有自己的亲生骨肉。

“我没着急，说得那么难听。”

“有打算吧？”

“这叫人生规划。”

良多与响子从恋爱到结婚，从来没有过任何规划，生活如同疾风暴雨中的航海。唯一规划成功的只有离婚这一件事，那是响子一个人做出的规划。

“那不是爱。”良多断定。

“成年人光靠爱是生活不下去的。”响子反驳道。

良多把响子的话当成她承认了打算走进没有爱情的婚姻。

他的手伸向响子的裙子，摸到了她的膝盖。

“你想干吗？”响子推开良多的手。

“你说干吗，都是成年人……”良多又一次将手伸向响子的腿部。

“还说是成年人！妈还在隔壁……”

“不在的话就行了吗？既然老妈特意成全我们，那就再来一次……”

响子握紧拳头用力砸向良多的手背。

“疼！”响子一拳用力砸下去，良多高声叫了起来。

响子吃了一惊，和良多交替地向起居室方向望去。

“干什么啊？你们串通好的？是不是这样？从一开始就……”

这也太冤枉母亲了。良多犹豫了一下，还是辩解道：

“不是，别乱泼脏水……”

响子推开良多试图靠上来的身体，站了起来。

“妈妈，牙刷在哪儿？”真悟在洗面台那边嚷着。

“来啦，我马上来。”响子应声道。

“不用，我去。”淑子说着，“嗨哟”一声起身。

响子俯视垂头丧气的良多。

“先不提那些，我问你赡养费的事怎么说？ 10万日元。”

“给啊。给，给。”

“你说了三遍。”

一直以来，良多对没有自信的承诺习惯性地重复三遍。他似乎觉得多说几遍可以提高信用度，效果恰好相反。

“不骗你，明天天亮前……”

“不要信口开河，明天天亮前你怎么给……”

“不不，是那样……”他差点将自己今晚打算搜索小柜子的计划说出口。

“每次都是见面后就没下文了……没有下次了。”

响子走出卧室。

良多轻轻地揉着手背。

结果，响子和真悟抱着被褥搬去良多过去的房间躺下。响子没有一点睡意，她以为福住应该不会回自己短信了，没想到还是收到了回复。短信分条罗列着周三约会的内容，福住的短信总是像工作安排。当然，这本身没什么问题，但也没有了短信往来带给人的乐趣。

当然，这样就够了。

响子轻轻地抚摩已经熟睡了的真悟的头。

6

卧室里，良多屏息钻出被窝，轻轻拉开移门。他走进厨房朝起居室里张望，淑子躺在那儿。他静观了片刻，听到了母亲的鼾声。母亲侧着身体，手脚蜷缩成一团，睡姿像个胎儿。

良多蹑手蹑脚地走进起居室，伸手打开小柜子。人高马大的良多不用踏上脚凳就能看见柜子里的东西。他打开大手电筒。“咔嚓”，手电筒开关发出的响声格外刺耳。

小柜子里塞满了家里人留下的各种物品。千奈津和良多的奖状、文集、母亲存下的各种碎布、从来不用的饭碗、杯子和西餐的刀叉、老式的小煤气炉……还有三本良多写的书。良多只给父母寄了一本。

发现了要找的东西，良多露出了得意的神色。果然和姐姐说的一样。

存折卷在长筒丝袜里。良多不清楚母亲存了多少钱，应该有上百万日元吧，他想。我不是偷，真的只是借用一下而已。创作完漫画脚本就有钱了，来不及的话，用下个月的工资还。不管怎么说，自己还刚给过母亲 1 万日元呢，就算是要回这笔钱……不不，我需要 15 万日元，不不，20 万日元，应该够了。

良多手里握着被长筒丝袜裹着的存折，查看母亲的动静。

看来不会马上醒。

良多轻轻移动脚步回到厨房。

做儿子的本来就需要了解父母的资产……良多在心里为自己辩解。他打开卷成一团的长筒丝袜。手指上的肉刺钩住了丝袜，拨不开，良多心急慌忙地撕开丝袜。他打开包在外层的小广告纸，出现了一块硬纸板，硬纸板裁剪得和存折一模一样大小。

包装用的小广告纸上有一行用签字笔写上去的小字："遗憾！——姐姐。"

良多自以为在姐姐面前装得镇定自若，成功打探到了母亲放存折的位置，没想到上了姐姐的大当。现在必须把长筒丝袜放回小柜子，不然事情败露无疑。

良多忽然觉得不寒而栗。长筒丝袜卷了多少层？姐姐一定会注意到这个细节。不不，她一定挖好了坑等自己往里跳。良多望着手里的丝袜斟酌了片刻，死心了。事情败露是迟早的事。良多无计可施，只有暂且把丝袜放回小柜子里。

没有达到目的，必须想个辙。良多回到卧室，将整理柜里里外外仔细检查了一遍，还是没有他要找的东西。

打开佛龛边上脏兮兮的小盒子，良多发现了一件用报纸包着的东西。上次应该在这里搜寻过，好像看漏了。

报纸里的东西很沉，他顿时振作起来，满怀期待地打开报纸。

是一块砚台，父亲最爱的东西。砚台四周有一圈雕刻上去的花纹，看上去很高档。良多看不出它的价值，决定先收归己有。

佛龛中父亲的照片映入良多的眼帘。他很惊讶，自己偷走父亲的东西并没有觉得愧疚，相反萌生了一种复仇感，这种复仇感既来自父亲将自己最珍惜的邮票变卖给典当铺，也来自对父亲将家里维持生计的生活费都输给了赌场的记忆。父亲是一个活得那么自私的男人。当父亲的影子和自己合二为一时，良多的心情霎时变得沉重，他放下砚台。

照片中，父亲温和地笑着，看上去有些年轻，那是去世前一年照的。

良多萌生了给父亲上一炷香的念头。

他用打火机点燃线香，往香炉里插去。香炉里尽是燃渣，插不进去。

良多打开水龙头把线香熄灭。

他在厨房地板上铺上报纸，把香炉里的香灰倒出来。空气中弥漫着湿气，没有扬起很多灰尘。

良多用牙签捣了一下香灰堆，露出了很多燃渣，他用一次性筷子将燃渣一个个地挑出来。上小学和初中时，父亲经常让自己干这种事。

外面的风声越发大了起来，也能听见暴雨打在玻璃窗上的声音。良多有些担心被自己弄碎的玻璃窗，不过，千奈津的丈夫正隆的木工活儿是有口皆碑的。

起居室里传来“咔嗒咔嗒”的声音，淑子起身了。她穿着睡衣，外套一件对襟毛衣。她打开防水 CD 收录机，听台风的消息。

“不睡了？”良多问。

淑子拉开窗帘望着窗外。

“老喽，睡一会儿就醒了。”

“去高桥医生的诊所开点药。”

“嗯，有时去开药，催眠的。哇，好大的风。什么东西被吹走了？”

“听说一大早台风就会过去。”

“我特别喜欢刮台风，心情能放松下来。”

“奇怪的想法。”良多这么说，其实自己也没有睡意。昨晚露宿街头彻夜未眠，照理会很困乏，但眼下压根儿没有睡的念头。

“还记得不？全家住在练马的时候，一来台风就担心会不会吹走房顶。到了晚上，一家人带着行李，躲到幼稚园那边的教堂。”

一家人在练马住的是租赁的老房子。屋顶铺着白铁皮，遇到大风就会发出“哐当哐当”的巨大响声。虽说是矮平房，但整幢房子会被吹得左右摇晃。一进钢筋水泥的教堂避难，就会让人产生安全感。

“记得记得，平时都是白天去教堂，那会儿晚上看到彩色玻璃，觉得特别漂亮。”

“搬到这里以后，觉得不用再担心刮台风了，心完全放了下来。”淑子一脸怀旧的表情。

“没想到的是，在这里一住就是40年。”淑子继续道。

“对不住了，儿子没出息。”

“我会死吧？”淑子忽然话锋一转。

“瞎说什么，那么不吉利的话。”

“和吉利不吉利没关系。人总有一天会死的吧，我大概会死在这儿。”

“啊，话也没错。您身体又不舒服了？”

“倒也没有。”

前年淑子说胸口痛，在常去的高桥医生诊所诊断出了一颗很大的胆结石，不过还没到动手术的程度，只需要靠药物治疗。淑子血压偏高，血糖也有些高，都靠服药控制，因此谈不上健康，但还算不坏。

“我说你，我身体越来越差了，你还是在我身边好好照顾吧。”

“不行不行。”良多笑着搪塞。

“不给人添麻烦，来个猝死，本人和家人都轻松，这些都是骗人的鬼话。”

“是吗？”

“你老爸不就是这样？”

父亲死得是轻松还是痛苦，良多并不了解具体情况。没有一点儿思想准备，接到电话时母亲说父亲刚刚去世了。父亲没什么慢性病，他讨厌医院，所以从来不去，觉得如果去检查一下的话也许会发现什么问题，死因是心力衰竭。母亲在浴室发现了倒下的父亲，在救护车送往医院的路上他咽气了。据说是心肌梗死发作。

在救护车上的只有母亲，她也许看到了父亲痛苦的样子，良多想。不过，母亲用和平时没有不同的语气告诉良多“他死得很干脆”。

那为什么母亲不觉得“猝死”很轻松呢？

“我做梦会梦到你老爸。”淑子一脸嫌弃的表情。

“真会做这样的梦？”

“偶尔会，偶尔。”淑子表情有些害羞。

在母亲的梦里，是父亲偷了藏在米缸里的存折四处逃窜，还是年轻时的回忆？

“做的什么梦？”

“梦见他还活着，每次都是，所以我老觉得你爸还活着。”

良多无法从淑子的声音和表情判断她是喜欢还是讨厌这样的梦。不过，她说了做那种梦“不轻松”，应该并不开心。父亲虽然不是脾气暴躁会动粗的人，但让母亲活得相当辛苦却是不争的事实。

可是，从今天白天给母亲打电话时她说的“我还以为是你爸呢”那句话中并没有听出不快。

淑子将椅子搬到良多跟前。

“你说哪种情况更好些？一种是长期卧床不起，慢慢离开亲人，一种是猝死，死后老在梦里出现。”

“哪种都不好。”

“没劲，快选一种。”

难道母亲将父亲的灵魂留在世上乃至出现在她的梦中看作是一种“痛苦”？父亲究竟留恋的是什么？良多第一次想要思考父亲的人生。

“到底选哪种？”淑子纠缠不放。

“好吧，卧床不起？”良多用巴结淑子的口吻说，因为淑子刚才说自己“身体越来越差了”。

“是最终的结论？”淑子模仿御法川法男[1]的口吻。

“过时了。不错，是最终的结论。”

1　20世纪60年代成名的电视节目主持人、新闻主播、实业家。

听了良多的回答淑子似乎很满意，注意力回到了广播上。

“啊！”淑子轻声叫了出来。她把收录机拉近自己，留意着会不会吵到响子母子，将音量稍稍往上调了一点。

音乐节目主持人正在介绍邓丽君。良多不记得母亲喜欢邓丽君。

主持人坦诚地说，比起《偿还》《爱人》等最走红的歌曲，自己最喜欢 1987 年的《别离的预感》。淑子好像对这段话产生了共鸣，频频点着头。

曲调比歌名听上去明快多了，邓丽君呢喃细语般的歌声从收音机里传了出来。

眼泪就要落下

痛心疾首地爱着你

不要离我远去

停止呼吸 留在我的身边

听着歌曲，良多想着父亲的事。如果这个为赌博倾注了一生的父亲真有无法撒手人寰的事，那会是什么呢？无论良多的脑海里回忆起怎样的场景，记忆中的父亲都从未向自己敞开过心扉。

“老爸的追求究竟是什么呢？”良多问。

“什么？”

“他的……一辈子。”

“是啊，我不清楚，直到最后。”

母亲说，在去世的前一天，父亲买了“刮刮乐”的彩票。这种彩票用一枚硬币刮开票面便能当场知道胜负，所以虽然是彩票的一种，也是赌博。若说父亲赌博成瘾当然没有说错，但良多想，父亲一定也有他自己的追求，只是最终未能梦想成真。赌博作为替代品，成了他毕生追求的目标，就像今天的自己。

“老爸经历了很多，却没能如愿以偿。生不逢时……”

“嗯，你说错了，不能把自己的过错归咎于时代。”

良多心头一紧，母亲说的的确没错。一想到父亲做的那些错事，心情不由得阴郁起来。

“怎么，你有心事？”

“没……”良多用筷子夹起线香。

“这会儿，你把线香当你爸了吧？”

淑子一语中的。每天一大早父亲都会为佛龛献一炷香。良多想，香炉中没准也有父亲上过的线香留下的燃渣，他的灵魂应该就依附在其中。

“人都走了,怎么想他都没用。珍惜眼前的那什么才是真的。”

“我知道。”

“男人为啥都不珍惜眼前呢？”淑子合着音乐的节奏摆动身体。

因为现实太渺小，良多想说，但没有说出口。

“你们总是追求已经失去的东西，做些实现不了的美梦……老这样的话，不是每天都活得不快乐吗？”

“是这样吗？”良多不愿正面回答。他明白母亲问的不是父亲，而是自己。

邓丽君如泣如诉的歌声把他吸引了过去。

告诉我　让你伤心的理由

即使我能触摸到你

我也愿意相信你　唯有如此

“幸福这东西，你不放弃些什么，你就无法得到它。”

听着母亲的话，良多抬起头来。听上去有些伤感，也许没错，良多想。

邓丽君还在唱。

比海更深　比天更蓝

我真的无法

超过如此般地爱你

淑子似乎受到了感染，长长叹了一口气后开口道：“活到这岁数，我还从来没有感受过比海更深的爱。”

“别说得那么可怜。”

“你有过？”

淑子这么一问，良多不免犹疑起来。他的脑海里第一个出现的是响子，但如果要问是否爱得比海更深，还真难以回答。

“我嘛，怎么说呢，有我自己的方式……”良多支吾着，视线下意识地转向响子和真悟正在酣睡的卧室。

“普通人根本没有。”淑子断定。

良多不确定“普通人”中是不是包括自己。

“即使这样，大家也都活得好好的，每天都很快乐。”淑子摇了摇头，继续说，“嗯嗯，因为没有所以才活得下去。就像我这样，也开心地过着每一天。”

也许那种拥有过激情燃烧般爱情的人，才无法快乐地过上安稳平淡的生活。

“人生太复杂了。”良多说。

“哪里，很简单，人生其实很简单。”淑子又摇了摇头。

话音刚落，淑子猛地站起来。

“我刚才说了很了不起的话是不？你可以写进下次的小说里啊。快，用笔记下来。”淑子说着便去取纸和笔。

“不用了，我脑子里记着呢。”

淑子拿来了用广告纸裁成的小纸片。

“从哪句话开始？”

“什么？”

“从‘幸福’的话题开始吧……”

良多看着说话越来越起劲儿的淑子的侧脸。母亲的心情格外畅快。他遽然醒悟，母亲在盼望，15 年来一直在望眼欲穿地盼望。她不仅盼望着有家不回的儿子，而且在盼望着儿子和他的家人一起回家，她还在盼望着儿子的新小说，如同不停地盼望偶尔飞到橘树上的青凤蝶。

阳台上的橘树在剧烈地晃动。

良多还是睡不着，独自一人坐在厨房的饭桌边，笔记本打开着。母亲又回到起居室躺下了。良多能听见她的鼾声，应该是睡着了。

笔记本上写着所长说过的一句话："有勇气成为别人的过去。"在这句话的边上，良多记下了母亲的话："幸福这东西，你不放弃些什么，你就无法得到它。"

翘首以盼——良多的脑子里不断闪出这个词，不过他没有记在笔记本上。想到独自一人在小区里苦苦守候的母亲，良多不禁有些伤感。

自己曾经居住的那间卧室的移门打开了，露出了真悟的脑袋。真悟睡意蒙眬地问良多："台风还没走？"

"嗯，狂风暴雨。"良多回答。真悟露出了笑脸。

"要去洗手间？那里有开关。"

"知道。"真悟说着走进洗手间。

良多想到了什么，拿起手电筒站起来。

他在夜色中等着真悟从洗手间出来。他打开手电筒，从脸下往上照，一张长满邋遢胡子的脸庞悬浮在空中。

真悟吓了一跳，身体僵直地站着。

“去吗？”良多笑了起来。

“去水塔？”真悟战战兢兢地问。

“去公园。”良多说。

“嗯。”真悟点点头，一脸喜悦的表情。在良多的眼里，没有任何东西能和这张笑脸相比，为了这张笑脸做什么都值得。

良多有点想哭。

响子在漆黑一团的卧室里钻出被窝，竖起耳朵听着卧室外的动静。

“脆饼和白巧克力蛋卷……”真悟向良多报告。

“滑梯那边……”良多似乎回答着什么，说话声被暴雨声掩盖住了，响子听不清。

父子俩好像要顶着台风去什么地方冒险。

“危险！”响子本想阻止他们，但真悟说话的语气听上去很兴奋，响子决定默许这一次。

开门的声音响起，随即又关上了。

响子不免担心。她走到阳台上，透过玻璃窗，看到了良多和真悟的身影。真悟穿着塑料雨衣，良多的手臂绕过真悟的双肩，紧紧把他揽在怀里。

应该不会受伤，响子想。小区里的树木在暴风雨中剧烈晃动。

“他们不会上水塔吧？”响子的身后传来了说话声。她回过头去，身着对襟毛衣的淑子正走出厨房。

“应该是去公园，听他们说滑梯什么的。”

“那就好。那小子，过去和同学爬到水塔上去了。就他一个人吓得不敢下来，还叫来了消防车，弄得好紧张。”

准确地说，出动的不是灭火消防车，而是云梯消防车，救下了下到水塔中途哭得一动不敢动的良多。被良多转嫁污名的芝田君倒是靠自己的力量下到了塔底。“大器晚成的芝田君”其实并没有吓得屁滚尿流。

响子想象良多大哭的模样，不由自主地笑了起来。

“明知自己是个胆小鬼，为啥就不能过安稳的日子？”听了淑子的话，响子使劲点了点头。淑子的确说得不错。婚姻生活似乎就是在找“为啥”的答案。

虽说只睡了三个小时，但已经过了那个点，响子完全没有了睡意。昨天社长告诉她下午出勤就行了，上午如果瞌睡的话还能打个盹儿再去公司。

响子和淑子在厨房聊天。淑子夸响子的字漂亮，请响子帮忙写服丧明信片。

“我让千奈津帮我写，可不想欠她家太多人情。”淑子说。响子有些意外，她以为千奈津与淑子相处得不错。大概因为彼此间关系好反而有些拘束吧，她想。

响子好久没有用毛笔写字了，一提起笔便感觉很亲切。

“写得真好，真的，好羡慕。”淑子端详着响子写的字，钦佩地说道。

“您过奖了。”

“亲家母也写得一手好字？”

“嗯，她是教书法的老师。”

“我也想过当家政课老师呢，如果脑子再聪明一点的话就好了。”

“哦，是吗？第一次听您这么说。我也有教师资格证呢。”

“啊？是吗，什么老师？”

“国语老师，还参加过教育实习。”

响子的话音在最后几个字突然变轻了。她之所以没有当成老师是因为怀孕，她觉得这个话题再说下去自己会很尴尬，所以赶紧闭嘴了。

淑子也沉默了下来。她目不转睛地注视着正在往明信片上写收件人地址的响子。

“您那样看我的话我会紧张的……啊，这位，来参加过我们婚礼的，川崎那边的。”响子记得这个名字，是良多父亲一方的亲戚。

“没错。去年太太去世了。”

“是吗，还很年轻呢。”

双方在婚礼上相互寒暄过，自那以后就没再见过面。良多也不常去父母家，更不用说和亲戚有什么来往。

淑子将响子写好的明信片排成一排，忽然，她开口问道：

“你们真的没希望了吗？”

响子压根儿没有思想准备，但她觉得还是应该表明态度。淑子一直以来总是用弦外之音来表达希望两人复合的愿望，但直截了当地这么发问还是第一次，响子不想错过这次机会。

“婆婆您一直把我当亲生闺女看待，我非常高兴。”

“真的？”淑子情绪有些低落。

“可我觉得良多先生不适合建立家庭。起初，我以为有了孩子他会改变……”

“他们太像了，在这方面，和他爸。”

淑子也和自己一样过得十分辛苦，响子想。

“对不起。”响子轻轻鞠了一躬。

“不不，要说对不起的是我。我知道了，这个话题就到此为止吧。”

淑子装出很轻快的语气说，响子只是低着头。

“咱们的‘寿司聚餐会’也终止吧？”淑子半开玩笑地说。

“不，咱们继续。”响子答道。

“真的啊？”笑容在淑子的脸上绽放开来。

“真的。”

“太好了，咱们偶尔也去尝尝不是回转的寿司[1]。”

“下次我请客。”响子说。

“那敢情好。”淑子嘴上应着，向卧室走去。她从佛龛边上的小盒子里取出一个小木盒。

回到厨房，淑子将小木盒交给响子。

“啊，脐带。”

桐木盒里装着真悟的脐带。

“去神社拜过后我就一直保管着。”淑子回忆道。当时正在搬新居，大家都手忙脚乱的，便将这个小木盒交给淑子保管。

“我记得呢。”响子打开盒盖。脐带好像小了一圈。

“这就还给你了。”淑子的语气有些忧伤。

---

1 指比回转寿司高级的寿司。

“是。”响子的神色也变得忧伤起来。

“真的想不明白，为什么你们会走到这一步。”

淑子说着，眼泪涌上了眼眶，尽管刚刚说过“这个话题到此为止”。她心里十分清楚，但还是无法接受一度已经成了亲人的人离开。

响子也说不出话来，只是眼中噙着泪水。

沉默了片刻，淑子换了话题：

“这几个字真难看。”

是良多在桐木盒上用签字笔写上了“真悟”两个字。不但字写得丑，而且墨水花开了，有点不堪入目。

“请公公写的话就好了。”响子破涕为笑。

“他在写字方面随我。”淑子用纸巾擦拭眼泪。

台风逼近关东沿岸，经预测将会在此地登陆。此刻风雨十分猛烈，躲在章鱼滑梯下的暗室里也能听到狂风暴雨发出的巨大声响。不过，头上是厚实的钢筋水泥，还是让人觉得安心。

“啊，什么东西被风刮走了。”真悟用手指了一下。

夜空中有个白色的物体飞速舞动，转瞬不见了踪影。

“塑料袋吧？”

“是把伞！伞！”真悟用确定的语气说。

“啊，人！”良多用手一指。

“飞着吗？”真悟吃了一惊。

“骗你的哟。”

“真坏。”真悟说着，露出了欢快的笑容。

良多注视着兴奋的真悟，问：“吃脆饼吗？”

真悟打开塑料袋，取出一大袋“歌舞伎脆饼[1]”，这是淑子买来存着的。

良多和真悟举起几块歌舞伎脆饼，做了一个干杯的手势，咬了一口。

“有点回潮。”良多笑道。

---

1 图案和包装设计使用了日本传统戏剧“歌舞伎”元素的一种脆饼。

“嗯，不过很好吃。”

的确，深夜的脆饼格外可口，良多想。当初和父亲躲在这里，好像也是吃的脆饼之类的东西。那年自己还在上小学低年级，仿佛经历了一场大人般的了不起的冒险，至今还记得当时忐忑和兴奋的心情。父亲也少见地兴奋，不断搞怪。

“真悟，还记得爷爷吗？”

“嗯，记得。爷爷可疼我了。”

这让良多感到意外。

父亲不是喜欢孩子的人。每次带真悟回家，他也是爱答不理地自顾自看报。

到了晚年，良多也很少来看父亲。响子带真悟来过几次，是不是上了年纪的父亲变得爱热闹了？

“爸爸不喜欢爷爷吧？”

“为什么这么说？”

良多不记得自己对真悟说过这种话。

“爷爷说的。”

“没有不喜欢爷爷，只是和爷爷吵过架。”

“为什么吵架？”

“可能是因为爸爸写小说吧。”

没有明确的理由。父亲常把“靠写文章怎么能生活”的话挂在嘴边。也不光是为了这些。随着年龄的增长，父亲本身也变得难以亲近。虽说自己内心十分抗拒成为父亲那样的人，但现实中却不断发现自己重蹈着父亲的覆辙。

“真悟长大后想干什么？”

“嗯，”真悟想了想，“公务员。”

无疑，不想成为父亲那样的人，这和上高中时良多的想法如出一辙。

“不是想当棒球手吗？”

“我当不了棒球手。”

“那不好说，不试试看怎么知道。”

“我清楚着呢。”真悟回答得很爽快，大人般的语气让良多心里咯噔了一下。

“爸爸过去想干什么？”真悟反问良多。

“公务员”三个字毕竟难以出口。

“爸爸的理想实现了吗？”

的确成了小说家。只是，现在还能称为小说家吗？15 年没有写作的小说家。

“爸爸的理想还没有实现。不过呢，问题不在于实现还是没实现，重要的是能不能怀揣理想生活。”

“真的吗？”

真悟直视的目光很刺眼，良多不由自主地移开了视线。

“当然是真的，是真的，真的。”

良多又好像是在说给自己听。真悟注视着良多，他的目光仿佛在窥视良多的内心。良多霎时回过神来，自己重复了三次。

我是在说谎？还是在自我欺骗？

“真的。”良多又嘟囔了一遍，好像是在告诉自己。

“真悟，在吗？”暗室外有人喊话，是响子的声音。

“妈妈快进来，这里不会淋到雨。”

“可惜了。”响子嘀咕着进了暗室，手里提着的水珠图案的雨伞骨子断了。响子也穿着塑料雨衣。

“奶奶担心着呢，快回家吧。”响子说。真悟不满地“唉”了一声。

“我去那里的自动售货机买咖啡，喝完咖啡就回吧。”良多提议道，真悟不情愿地点了点头。

“我去买。”

“危险！”良多和响子异口同声地想要阻止真悟，但这次真悟很少见地坚持要去。

响子说要热的绿茶，良多和真悟要热咖啡。

真悟高喊着“冲啊”，跑进了雨中。

“那孩子，叫得好大声。”响子很惊讶。

真悟是个很少和别人打闹嬉笑的孩子。通常同学们玩得很热闹的时候，他只是在一边观望。

是台风之夜的冒险让真悟的心态起了变化，响子想。

“我没想到会这样。”良多突然开口道。

“是啊，我本来也打算马上回家……”

“不是，我不是说这个。”

良多说的不是今天发生的事，而是迄今为止发生的所有一切。

“说得没错，本来不应该是这样的。”

响子也意味深长地低声道。

“小心摔跤。”良多对真悟叫道。真悟在高喊着什么，没有听见。

“我已经下定决心了，我们向前看吧。”

响子直视着良多的眼睛。

“啊啊，嗯……”良多模棱两可地回应。

“你明白吗？”响子凝视着良多。

良多回避着响子的目光点了点头。

“明白……啊，早就明白了。”

良多早就明白了，可是不敢直接面对，他害怕得只能移走视线，用“父亲游戏”来维系一切。

良多片刻不离地注视着正在雨中往回跑的真悟。

“喝了咖啡就甭想睡觉了。”响子警告真悟。

“不睡了。”真悟对着罐装咖啡又喝了一大口。

“不行，对身体不好，你还是个孩子。”

“一会儿说我是个孩子，一会儿说我是个大人，都是妈妈说的。”真悟不满地说。

“什么时候说你是大人了？”响子恼怒道。

“说了，就是前几天。妈妈说，你已经不是孩子了，要活泼开朗一点，就在你们约会后说的。”

响子也想起来了，皱起了眉头。

“那可就不好办喽。”良多附和着真悟。

“你少开口。”响子责备道。

“遵命。”良多乖巧地鞠了一躬。

“都这种时候了，还有闲心说这些……”响子低声对真悟说。真悟弯腰在口袋里找什么东西。

“啊！彩票不见了！”他“噌”地向外跑去。

“丢了吗？”良多问。

“3 亿日元。”真悟回答。

“中不了的。快回来，淋湿了会感冒的。”

“傻瓜，300 日元一定能中的。”良多也冲出暗室。

“真的？”响子也赶紧往外跑。她脚下一滑，差点摔倒。她用力踩着地面往前行，终于免于摔倒出了暗室。

三人在深夜的小区公园里追踪被风吹跑的彩票。真悟摔倒后立刻起身，继续全神贯注地寻找。

天亮时分，台风从关东沿岸擦肩而过。台风过后的天空，万里无云。

三人找到的九张彩票和良多湿透了的衬衣一起晾在阳台上。真悟执意要找到最后一张，被响子训斥后才作罢。

煎鸡蛋、腌菜，加上放了水菜和油炸豆腐的味噌汤，良多和真悟、响子在厨房里围着饭桌吃早餐。

淑子在佛龛前上了一炷香，随后打开整理柜，找什么东西。

“还是幸亏住在这儿了吧？”淑子骄傲地说。

“说的是呢。”响子回答。

电视新闻正在报道昨晚台风的受灾情况，仅东京都内就有120人受伤。

响子的手机也收到真悟学校发来的短信，下午上课。

服丧明信片也全部写完了。

淑子将一件白色的翻领衬衣递给良多。

“这件衬衣，你拿着。”

“干吗？”

“你爸的。你衬衣还没干，穿这件回去吧。”

“还留着啊？没扔掉？”良多说。

“不小心漏了，忘扔了。”淑子不好意思地辩解。

“忘扔了”的东西是不会放在自己的衣柜里的。良多只是“哦”了一声。

“有点小，但很适合你。”淑子将衬衣在良多的后背比了比。

良多和响子对视了一下，轻声笑了起来。

小区里四处散乱着折断的树枝、坏雨伞和垃圾，只有经过风雨洗礼的草地葱翠欲滴，泛着耀眼的亮光。

真悟一出门便跑到草地上。他捡起一张小纸片,随即又扔了，不是彩票。可真悟并不死心。

良多和响子将真悟夹在两人中间走着，真悟停了下来。

“啊，奶奶！”真悟用手指着。

淑子在楼梯的平台上挥手。

淑子说脚疼，就在玄关和良多等人道了别。结果她还是下了一半楼梯，目送三人离开。

良多不禁心头一颤。他在脑海里又搜寻了一遍，过去母亲是否也有不送到车站的情况？从来没有，何况还有孙子和曾经的媳妇在场。

良多又回望了一眼母亲。他吃惊地发现，母亲挥着的胳膊很细，犹如上面的肉都被削掉了一般。

那天母亲送自己下楼时累得不轻，还以为那是她“夸张的表演”，自己完全想错了。从今往后母亲下楼外出的次数一定会越来越少，两天一次的频率会逐渐变成三天一次……这种迹象已经开始出现了。

良多第一次意识到死亡在接近母亲。

就在这一刻，良多突然注意到了一件事，是树木，它们是使住宅小区变得昏暗的原因。小时候,那些树的高度还不到二楼，现在已经超过五楼了。它们枝繁叶茂,所以感觉小区的光线昏暗。

人们因此陷入了小区正在回归自然的错觉。小区不断被树荫吞噬，被青苔遍地、不断延伸的广袤树林所吞噬。

良多的脑海里浮现的是茂林深处如胎儿般沉睡的母亲的身姿。

谁来守望沉睡的母亲？良多在心里自问。

不过，他迅速将这一念头从脑子里驱赶了出去。

海よりもまだ深く

7

良多让响子和真悟在清濑站前等着，说去一趟银行就来。他跑进当铺，决定当掉砚台。

“30 万日元。”当铺店主二村说，他用放大镜仔仔细细检查了一遍砚台。

良多不禁怀疑自己的耳朵。30 万日元，出人意料的价格。

“质量上乘的砚台。”二村笑道。

良多拿起砚台认真端详。上面的雕刻的确称得上精工细作，但良多完全没想到有这么高的价值。父亲究竟是花多少钱买的呢？

“老婆，小区的筱田先生来啦，把那个给我拿来。”

随着二村的叫声，传来一个温柔的应答声——“来啦”，二村太太手里拿着单行本现身了。是良多的《无人的餐桌》，和新书毫无二致。

“你父亲给我的，他说：‘是初版本，以后肯定能卖大价钱。’”

“我爸？”又一个意外，良多不禁高声叫了起来。

“是替你高兴吧。他几乎跑遍了这里的每个店铺，免费赠送。”

良多的目光落到手里拿着的砚台上。小柜子里发现的三本书，大概是没送完的吧，他寻思。

“老公，人家好不容易来了，快让签个名。”

二村的太太催促道。

“是啊是啊，就用这块砚台，用毛笔给签个名。”

“好。”

“藤田先生，有个好儿子啊！”

二村感慨道。他不是挖苦，好像是在慰藉父亲的在天之灵。

二村的太太准备好了瓶装水和墨。

良多将瓶里的水在砚台上滴了几滴。像父亲一样，开始磨墨，动作不紧不慢。

磨墨发出的声音让他觉得温馨。

"对不起"，良多对等着自己的响子和真悟鞠了一躬。响子只是轻轻叹了口气，一言不发。

最终，良多没有当掉砚台，就像淑子没有扔掉翻领衬衣一样。最重要的是，"蓧田先生，有个好儿子啊"——二村的这句话让良多无法做出那样的举动。

已经过了 9 点，电车中空荡荡的，三人坐成一排。

真悟一次次不厌其烦地将还没干透的彩票打开来看，坐在他身边的良多用手抚摩着用小绸布包裹着的砚台。

"彩票都归你了。"良多说。

"真的？"

"当然是真的。"

真悟不安地看了一下母亲，响子笑着点了点头。

池袋车站前四处可见被台风刮断的雨伞，不过脏东西好像都被台风刮跑了，大街显得格外赏心悦目。

“下个月，还在这儿见。”良多和响子、真悟告别。

“嗯，一共15万日元，三个月的赡养费。”响子叮嘱道。

“啊，放心吧。”

良多将目光转到真悟身上。

“再见了，真悟。”

“再见。”真悟挥了挥手。

良多站在原地望着两人离去的背影。

“我来拿球鞋。”真悟从响子手里接过装着球鞋的袋子，挎在肩上。

“下次不要四坏球，目标本垒打。”响子激励道。

“我喜欢四坏球。”

“四坏球……”

响子的说话声被经过的汽车声掩盖了，良多没有听见。

他只看见真悟点着头。狠狠点头是真悟的习惯性动作。

真悟的动作看上去稚气未脱，十分可爱，良多留意到真悟的这一习惯还是在离婚以后。

没有当掉的砚台值30万日元，这对良多是巨大的诱惑。如果当了的话，不用说，马上就能交给响子15万日元，剩下的交房租，工资可以还清借款……

良多心里盘算着，倘若响子再婚的话，没准就见不到真悟了，福住一定不乐意他们见面。如果真的到了那一天，还是死心吧。放弃一些东西，拿出勇气成为别人的过去。

不过……良多心里开始祈祷。

儿子千万别扔掉那些彩票，即使没有中奖。

良多目送着两人的背影，他们很快淹没在了人群中。

良多回过身去，迈开脚步。